THAI KÜCHE

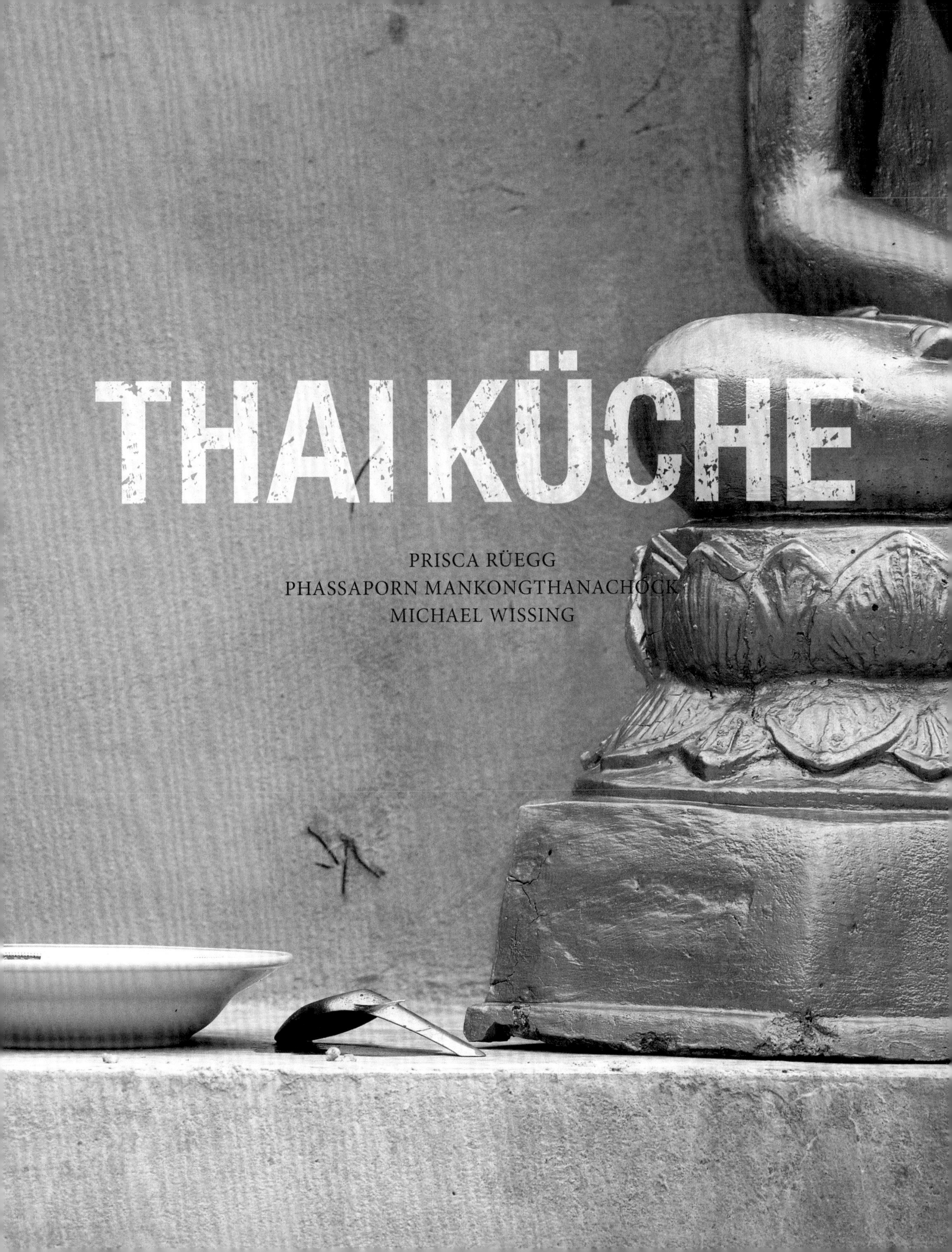

THAI KÜCHE

PRISCA RÜEGG
PHASSAPORN MANKONGTHANACHOCK
MICHAEL WISSING

INHALTSVERZEICHNIS

WASSER, REIS UND GÖTTERGLAUBE

JAHRHUNDERTELANG WAREN DIE THAI MIT *NAM, NAGA* UND *MERU* IM BUNDE – DEM WASSER, DER SCHLANGE UND DEM HEILIGEN BERG. DIESE SYMBOLE EINES KOSMISCHEN WELTBILDES DURCHDRINGEN BIS HEUTE DIE KULTUR, DIE ARCHITEKTUR UND DEN ALLTAG IN THAILAND.

Sie gehen zurück auf die sogenannten Wasservölker: Als vor vielen zehntausend Jahren die steigenden Wasser am Ende der letzten Eiszeit den südostasiatischen Kontinent überfluteten, wanderten die Völker der vielen Inseln nach Norden und siedelten sich auf dem Festland zwischen Indochina und dem heutigen Thailand an. Diese Menschen hatten ihren gesamten Lebensrhythmus dem Wasser angepasst. Im Mythos der Hindus ist diese Erfahrung der Wasservölker verschmolzen in einem Kosmos, in dessen Mittelpunkt sich der Sitz der Götter, der heilige Berg *meru,* befindet.

Noch heute spiegelt sich das hinduistische Erbe im Leben der Thai wider: in ihren Ritualen und Festen. Auch werden Thailands Könige nicht einfach gekrönt, sie erhalten ihre Autorität durch komplizierte Waschungen. Beim Neujahrsfest *songkran* begießt man sich auf der Straße mit Wasser, es ist die Zeit der Erneuerung und Säuberung. Selbst die Buddhastatuen in den Tempeln werden an diesem Tag gebadet.

BUDDHISMUS UND GEISTERGLAUBE

Die wichtigste religiöse Strömung in Thailand, die im Gegensatz zum Hinduismus ohne Götter auskommt, ist der Theravada-Buddhismus. Er prägt den Alltag als achtsames Leben und Handeln im Moment und die Toleranz und Freundlichkeit der Thai. Sie verehren zutiefst ihre religiösen Symbole, Buddhastatuen und den heiligen *bodhi*-Baum, unter dem der historische Buddha seine Erleuchtung erfuhr.

Mönche gelten als unantastbar, und sogar in einem Reiskorn wohnen göttliche Kräfte und gute Geister. Apropos Geister: Der Buddhismus ist so tolerant, dass er auch den weitverbreiteten Geisterglauben der Thai duldet. Vor jedem Haus und jedem Hotel steht ein Geisterhäuschen, vor dem Opfergaben niedergelegt werden, um die Geister *(phii)* freundlich zu stimmen: Lotusknospen und Blütenketten, aber auch Bananen, ganze Ananas oder sogar ein gebratenes Spanferkel. Alle liebevoll und achtsam zubereiteten Speisen sind den Geistern gewidmet – sie anzurühren, wäre ein schweres Vergehen.

DAS AUGE ISST MIT

KÖNIG RAMA II. ERZÄHLT IN EINEM GEDICHT VON EINER KÖNIGIN, DEREN RIVALIN DIE GUNST DES KÖNIGS FÜR SICH GEWANN. DIE KÖNIGIN WURDE AUS DEM PALAST VERBANNT UND MUSSTE IHREN GELIEBTEN KLEINEN SOHN ZURÜCKLASSEN. DOCH SIE KEHRTE HEIMLICH ALS KÜCHENMAGD ZURÜCK UND SCHNITZTE BEGEBENHEITEN AUS DER KINDHEIT IHRES SOHNES IN DIE GEMÜSESTÜCKE FÜR SEINE SUPPE. DA ERKANNTE DER JUNGE SEINE MUTTER UND BAT BEIM KÖNIG UM GNADE, SODASS SIE WIEDER AN DEN HOF ZURÜCKKEHREN DURFTE.

Die Freundlichkeit und Toleranz der Thai ist sprichwörtlich und wird viel über die Augen kommuniziert. Treffen sich zwei Blicke, fliegt immer ein Lächeln zurück, denn die »Augen sind die Fenster zum Herzen«, wie es in Thailand heißt.

Wo immer man in Thailand geht oder steht, im hektischen Gewühl der Weltstadt Bangkok oder im stillen Naturidyll auf dem Land: Überall und zu jeder Tages- und Nachtzeit zieht ein ganz bestimmter Duft nach Kräutern und Gewürzen durch die Luft. Denn die Thailänder sind gesegnet mit einer Vielfalt von Lebensmitteln und Kräutern, wie sie nur in einem so tropischen Klima gedeihen können, das dem Land eine nahezu verschwenderische Fruchtbarkeit beschert. Und weil das Kochen gemäß des Buddhismus zu den Achtsamkeitsübungen des Alltags und zur Feier des Moments gehört, lieben und verehren sie die Kunst des Kochens. Beim Waschen, Schneiden, Dünsten, Rühren und Würzen ist ein Koch immer im Hier und Jetzt. Dabei wird diese Alltagsmeditation keineswegs nur in den heimischen Küchen oder Restaurants praktiziert, sondern auch gerne auf der Straße, sodass jeder, der sich eine kleine (kulinarische) Freude machen will, bei einer der vielen Straßen- und Garküchen auf seine Kosten kommt (siehe Seite 238).

Das Lebensziel der Thai ist der Spaß am Leben, *sanuk*. Nach einem arbeitsreichen Tag hat *sanuk* absolute Priorität, weshalb dem Essen als Grundlage und Feier des Lebens auch ein so hoher Stellenwert zukommt. Für Thais ist *sanuk* so wichtig wie die tägliche Portion Reis. Alles was keinen Spaß *(mai sanuk)* macht, wird möglichst vermieden. Deshalb schenken die Thais der frischen Zubereitung ihrer vielfältigen Gerichte auch so große Aufmerksamkeit.

Lassen Sie sich einladen in diese ausgezeichnete Weltküche und genießen Sie mit Ihren Gästen unverwechselbare Geschmackserlebnisse, die glücklich machen.

THAILÄNDISCH ESSEN UND DIE SEELE LÄCHELT

ESSEN GEHT IN THAILAND WEIT ÜBER DAS ZUSAMMENHALTEN VON LEIB UND SEELE ODER GAR BLOSSE NAHRUNGSAUFNAHME HINAUS. NEIN, ESSEN UND DIE ZUBEREITUNG VON SPEISEN SIND IN THAILAND VIEL MEHR: SIE STELLEN DIE GRUNDLAGE JEGLICHER ALLTAGSKULTUR DAR UND BILDEN DIE WURZEL DES MENSCHLICHEN DASEINS.

Essen steht im Zentrum des gesellschaftlichen Lebens und ist Mittelpunkt eines jeden festlichen Ereignisses. Jede Mahlzeit bereichert den Alltag und stellt mitunter sogar den Höhepunkt eines Tages dar. Wenn sich zwei Thai-länderinnen auf dem Markt treffen, so ist eines ihrer Gesprächsthemen mit Sicherheit der ausführlichen Beschreibung des Genusses von Köstlichkeiten gewidmet, die am Vortag verspeist wurden. Ein solches Gespräch kann sich sogar zu einer Art von Wettstreit entwickeln, bei dem sie sich in der Beschreibung bestimmter Pfannen- oder Nudelgerichte, Currys oder Dips zu übertrumpfen versuchen.

EINLADUNG ZUM ESSEN

In Thailand isst man selten allein: Je mehr Gäste, desto besser. So können sich alle eine Vielfalt von Gerichten teilen, und das Teilen hat hier einen ebenso großen Stellenwert wie Freundlichkeit. Bei Einladungen in Privat-haushalte oder auch in manchen gehobenen, traditionellen Thai-Restaurants sind deshalb Höflichkeit, Lächeln und gepflegte Kleidung selbstverständliche »Zutaten« für ein gelungenes Mahl. Das nimmt man auf dem Boden oder tiefen Sofas ein. Wichtig ist hierbei, dass die Füße, die als minderwertig und unrein gelten, immer von den anderen Gästen wegzeigen. Dann ist es üblich, dass die Bedienung höflich vor einem niederkniet, um die Speisen und Getränke aufzutragen.

Jeder Gast bekommt einen Teller, eine Gabel und einen Löffel, gegebe-nenfalls auch eine Suppenschale mit einem Porzellanlöffel. Die Gabel wird wie bei uns das Messer zum Schieben eingesetzt. Essstäbchen verwendet man höchstens, um Nudeln aus einer Suppe zu fischen. Gegessen wird in

Thailand entweder mit dem Löffel oder nach bäuerlicher, traditioneller Sitte mit der rechten Hand, die im Gegensatz zur linken als rein gilt. Normalerweise beginnt man mit einer kleinen Portion von einem Gericht, das man zum Reis gibt. Dann bedient man sich an einer weiteren Speise, immer mit dem gleichen Teller und dem gleichen Reis.

Zum Essen trinkt man meist Wasser, bei geselligen Anlässen mit Freunden auch Bier. Mit *chock-di,* zu Deutsch: »auf unser Glück«, prostet man sich zu. Nach einem schönen und guten Essen freut sich der Koch über ein Lob. Mit *aroy maak* sagt man, dass es einem sehr gut geschmeckt hat.

Es lohnt sich, sich mit Tischsitten und Gebräuchen vertraut zu machen, um vor den freundlichen Gastgebern nicht durch einen bewussten oder unbewussten Fauxpas das Gesicht zu verlieren. Die Thailänder können sehr empfindlich sein, wenn man ihre Gefühle Dingen gegenüber verletzt, die große weltanschauliche Bedeutung für sie haben – wie Kochen und Essen. Sie werden es sich allerdings nicht anmerken lassen, dass man in ihren Augen das Gesicht verloren hat. Dazu sind sie zu höflich.

UNVERWECHSELBARE THAIKÜCHE

DIE THAILÄNDISCHE KÜCHE IST SICHER DIE MIT ABSTAND VARIATIONS-REICHSTE UND EIGENSTÄNDIGSTE IN SÜDOSTASIEN. DAZU INTEGRIER-TEN UND VERÄNDERTEN DIE THAILÄNDER KULINARISCHE IDEEN AUS IHREN ANRAINERLÄNDERN SOWIE VON EINGEWANDERTEN NACHBARN GESCHICKT UND SO SUBTIL, DASS SIE ZULETZT ALS AUTHENTISCH THAI-LÄNDISCH ERSCHEINEN.

Diese Entwicklungen lassen sich zurückverfolgen bis in das Königreich Siam mit seiner Hauptstadt Ayutthaya, die bis ins Jahr 1760 eine der wichtigsten Handelsstädte Asiens war. Von hier aus trieben die siamesischen Kaufleute regen Handel mit Indern, Persern, Vietnamesen, Chinesen und Japanern, später auch mit Portugiesen, Spaniern, Holländern und Briten. Durch diese Kontakte gelangten weitere neue Lebensmittel in das Königreich, so die Chilischoten – die aus der thailändischen Küche heute nicht wegzudenken sind. Aber auch Kartoffeln, Mais und Tomaten aus der Neuen Welt gehören dazu. Die für die Wesensart der Siamesen so typische Mischung aus natürlicher Neugier, gepaart mit Selbstvertrauen und Tole-ranz, erlaubte es ihnen, andere Kulturen und Lebensweisen anzunehmen, ohne ihren eigenen Charakter aufzugeben.

EINFLÜSSE VON AUSSEN

Ein gutes Beispiel dafür ist das aus Japan stammende Sukiyaki: Anstelle von Rindfleisch tunkt man in Thailand klein geschnittene Stücke anderer Fleischsorten, Fischstreifen und -bällchen, Meeresfrüchte, Gemüse und Nudeln in eine heiße Brühe und isst dazu Reis und eine Chilisauce. Von den Chinesen übernahm man die Methode des Pfannenrührens, die Vorliebe für Schweine- und Hühnerfleisch, gedämpften Fisch und Nudeln. Malay-sische und indische Einflüsse bereicherten die Thaiküche mit der Lust am intensiven Würzen, der Liebe zur Schärfe und die Idee der Currys mit ihren verschwenderisch verwendeten frischen Kräutern, Gewürzen und aroma-tischen Saucen. Auf diese Weise hat sich durch unterschiedlichste Einflüsse eine eigenständige, frische, fantasievolle und delikate Küche entwickelt.

VIELFÄLTIGE KÜCHE DER REGIONEN

EIGENSTÄNDIG UND UNVERWECHSELBAR SIND DIE KÜCHEN DES SÜDENS, NORDENS UND NORDOSTENS. DIESE REGIONEN ENTWICKELTEN SICH AUS KULINARISCHER SICHT AM LÄNGSTEN OHNE FREMDE EINFLÜSSE. ABER AUCH DAS ZENTRALE TIEFLAND UND BANGKOK HABEN IHRE EIGENE KULINARISCHE PRÄGUNG.

DAS ZENTRALE TIEFLAND

Im Herzen des Landes liegen das breite Tal und das Delta des Chao Phraya und seiner Nebenflüsse. Alle späteren Hauptstädte Siams wurden in dem wasserreichen Tiefland errichtet: 1243 erbaute man 450 Kilometer flussaufwärts die erste Hauptstadt Sukhothai (Sanskrit: »Morgenröte des Glücks«). 1350 verlegte man die Hauptstadt näher ans Meer nach Ayutthaya. Ende des 18. Jahrhunderts wurde dann im Delta des Chao Phraya Bangkok gegründet. Der fruchtbare Boden und ergiebige Niederschläge machen das zentrale Tiefland seit jeher zur Reisschale des Königreichs. Neben den riesigen Reisfeldern ist die Region mit Obstplantagen und Gemüsegärten gesegnet, sodass hier eine enorme Vielfalt an regionalen Zutaten zur Verfügung steht. Wasserspinat und Lotusstängel, kleine, grüne, bitter schmeckende Auberginen und purpurfarbene süße Schlangenauberginen, Zitronengras und Chilis werden mit Fischen und Muscheln, Hühner- und Schweinefleisch kombiniert. Von hier stammen wunderbare Currys und Suppen mit Kokosmilch, Wokgerichte oder die bekannte scharf-saure Garnelensuppe *thom yam gung* (Rezept Seite 110).

DER NORDEN

Bis zum Anfang des 20. Jahrhunderts war der Norden Thailands vom Rest des Landes so gut wie isoliert. Abgeschnitten durch dichte Wälder und die wilden Stromschnellen des Ping-Flusses war Nordthailand lange Zeit ein unabhängiges Königreich. Bis heute hat sich *lanna thai,* wie die sieben nördlichen Provinzen genannt werden, seine eigene kulturelle Identität bewahrt. Die Winter sind kühl, die Landschaft ist geprägt durch hohe Berge und kleine, fruchtbare Täler.

Die Küche ist kräftig, voll deftiger ländlicher Aromen, die unter anderem von Blättern, Wurzeln und Knollen stammen, die auf Wiesen und in Wäldern gesammelt werden. Hier wachsen keine Kokospalmen, darum spielt Kokosmilch nur eine unbedeutende Rolle. Die Currys sind eher klar und würzig. Das traditionelle Grundnahrungsmittel ist der Klebreis *(khao niau)*. Zu Bällchen geformt, schöpft man damit Dips und Hackfleisch.

Zum Braten wird gerne Schweinefett verwendet. Aus der Schwarte stellt man köstliche Chips her, die zu Suppen und den nördlichen Variationen des für Thailand charakteristischen *nam-prik*-Dips gereicht werden.

DER NORDOSTEN (ISAN)
Unter allen Regionen hat das riesige Gebiet, das im Nordosten an den Mekong grenzt, den am stärksten ausgeprägten kulturellen Charakter und eine laotisch anmutende kulinarische Tradition. Die ärmste Gegend Thailands ist flach, im Spätherbst kühl und trocken und im Sommer extrem heiß. Selbst wenn der Monsun rechtzeitig eintrifft, reicht der Regen oft nicht. Bei jedem Haus stehen riesige Tonkrüge, um möglichst viel Wasser aufzufangen, wenn es einmal regnet. Viele Menschen gehen darum im Winter nach der Ernte nach Bangkok, um dort Geld zu verdienen.

Die Küche des Isan ist nicht aufwendig, dafür aber sehr eigenwillig. Auf den Tisch kommen neben Geflügel, Schweinefleisch und Fisch auch Frösche und Insekten. Limetten, Tamarinden und rote Ameiseneier sorgen für die typische Säure, eingelegter Fisch für die Salzigkeit, und Chilis für die Schärfe der Gerichte aus dem Nordosten. Besonders beliebt sind neben dem scharfen Papayasalat die gegrillten Hähnchen und Fische, pikante Salate mit Minze und Thai-Basilikum *(horapha)* und gegrilltem Fleisch und ein Bambussprossen-Curry. Im Isan wird fast ausschließlich Klebreis gegessen.

DER SÜDEN
Der südlich von Bangkok gelegene Landstreifen ist an der schmalsten Stelle nur 44 Kilometer breit. Mit dem Golf von Thailand auf der einen, und Birma und der Andamanen-See auf der anderen Seite verbindet diese Landenge von Kra Thailand mit der Halbinsel Malakka. Kulturell ist der Süden stark malaysisch und muslimisch geprägt. Mehrmals täglich ist deshalb die Stimme des Muezzins zu hören, der die Gläubigen zum Gebet ruft. Die Lebensweise wird vom Meer bestimmt. Kokospalmen prägen den Charakter der Landschaft. Die Verarbeitung der Kokosnüsse bringt ein gutes Einkommen. Viele Gerichte stammen aus Indien, wie etwa *roti, kaeng kari* und nach nordindischer Manier gewürzte Currys. Daneben sind Fisch, Muscheln und Krustentiere Bestandteil vieler Gerichte. Das Essen im Süden ist scharf und salzig, wobei die Kokosmilch oft etwas von ihrem Feuer nimmt. Das berühmteste Curry des Südens ist das *massaman*-Curry (Rezept Seite 181).

GARMETHODEN UND KÜCHENZUBEHÖR

Traditionell war eine thailändische Küche oft ein vom Haupthaus getrennter kleiner Raum mit Wänden aus Matten, die zur besseren Belüftung hochgerollt werden konnten. Die Kochstelle bestand entweder aus einem einfachen Steingutbecken mit Holzkohle oder aus einer Kochplatte aus Ton, die über der brennenden Holzkohle angebracht war und Aussparungen für Töpfe hatte. Heute ist eine moderne thailändische Küche von einer europäischen nicht mehr zu unterscheiden. Doch das Herzstück ist nach wie vor der Herd.

KÜCHENGERÄTE

Für das Garen bei starker Hitze ist ein Wok unabdingbar. Zu den wichtigsten Kochutensilien gehören außerdem ein schwerer Topf und ein Spezialtopf für das Dämpfen von Reis.

Für gedämpfte Gerichte empfiehlt sich ein Dämpftopf aus Aluminium oder ein Dämpfeinsatz aus Metall oder Bambus, der in einen normalen Topf passt. Wenn ein Gericht mit Marinade auf einem Teller oder einer Platte gedämpft werden soll, stellen Sie eine Tasse auf den Boden eines großen Topfes, füllen Wasser in den Topf und stellen den Teller mit dem Gericht auf die Tasse. Dann wird mit aufgelegtem Deckel gedämpft. Eine traditionelle thailändische Methode besteht darin, Speisen vor dem Dämpfen in Bananen- oder Pandanusblätter einzuwickeln.

MÖRSER UND STÖSSEL

Besonders wichtig für die Zubereitung thailändischer Gerichte ist ein robuster, hoher Mörser aus Granit. Darin werden Saucen und Currypasten hergestellt, Gewürze zerkleinert und Zutaten püriert. Für gestampfte Salate, wie z.B. den Papayasalat auf Seite 75, nimmt man eher einen Holzmörser. Im Asienladen gibt es eine große Auswahl an Mörsern aus verschiedenen Materialien. Wenn Sie sich einen Mörser anschaffen, nehmen Sie einen schweren, möglichst großen. Er lässt sich für alles verwenden.

VORBEREITUNG DER MAHLZEIT

Der Vorbereitung der Mahlzeit wird eine große Bedeutung beigemessen: Auf Hackbrettern werden die Zutaten mit scharfen Messern geschält, gehackt und in getrennten Häufchen hergerichtet. Dabei wird oft mit großem Geschick ein chinesisches, äußerst scharfes Hackmesser verwendet.

SNACKS

THAILANDS FASTFOOD

KOCHEN UND GENIESSEN HABEN IN THAILAND EINEN ÄHNLICH HOHEN STELLENWERT WIE IN FRANKREICH, DER HOCHBURG DER EUROPÄISCHEN HAUTE CUISINE. KEIN WUNDER, DASS SELBST DAS THAILÄNDISCHE »FASTFOOD«, DAS MAN BEI FLIEGENDEN HÄNDLERN UND IN KLEINEN GARKÜCHEN AM STRASSENRAND BEKOMMT, OFT SEHR FEINE UND IMMER WIEDER ÜBERRASCHENDE GESCHMACKSERLEBNISSE BIETET.

Kleine Straßenküchen auf dem Lande wie in der Stadt bieten eine Vielfalt an fantasievollen Häppchen an. Dazu gehören in Bananenblätter eingewickelte süße oder scharfe Kleinigkeiten, Spießchen mit Hühnerfleisch oder Fischbällchen, aufgespießte kleine Tintenfischchen, Kokosküchlein, Frühlingsrollen, Tofuwürfelchen, Mangospalten mit süßscharfer Sauce, frische Melonen und Ananas, erfrischende Salate und Nudelsuppen. Schließlich gibt es neben dem normalen Tagwerk eines Thais kaum eine schönere Beschäftigung, als zwischen zwei kleinen Mahlzeiten darüber nachzudenken und mit seinem Gegenüber zu beratschlagen, was man wohl als Nächstes zu sich nehmen könnte. Auch über die Art, wie Häppchen zubereitet, und an welchem Stand und in welchem Restaurant es die besten lokalen Spezialitäten gibt, können Thailänder schier endlose Diskussionen führen. So hat man immer wieder Gelegenheit, miteinander über angenehme Dinge ins Gespräch zu kommen. Die leckeren Häppchen sind also auch zu diesem Zweck für Einheimische wie auch für ausländische Reisende ideal, die Land und Leute kennenlernen möchten.

HEITER UND GENUSSREICH
Kaum ein Straßenrand, an dem nicht in einer der zahlreichen Garküchen mit Hingabe Spießchen gegrillt und scharfe Thai-Currys gekocht, knackig frische Gemüse pfannengerührt *(phad)* und süße Bananen frittiert *(thod)* werden. Als Herd dienen dabei die abenteuerlichsten Konstruktionen, angefangen vom mit Holzkohle gefüllten halbierten Metallfass bis hin zum mobilen Gasbrenner. Manche Händler transportieren ihren Kochherd sogar im Seitenwagen ihres Mopeds. Die umgebauten Zweiräder knattern durch die Vororte oder kleinen Dörfer, und jeder Bewohner erkennt am Hupen

oder Klingeln sofort, welche Art von Köstlichkeiten der jeweilige Händler anbietet. Selbst in der hochmodernen Millionenstadt Bangkok trifft man in den Straßen nach wie vor Verkäufer, die ihre gesamten Küchengerätschaften in zwei, an einer Bambusstange hängenden Körben und auf den Schultern wippend herumtragen. Auf den Kanälen *(klongs)* sind die Händler auch mit Booten unterwegs. Von hier aus verkaufen sie köstliche Nudelsuppen *(guitiauw rüa),* was den Gefährten den Beinamen »Nudelboote« bescherte.

KLEINE FREUDEN ZWISCHENDURCH

Auf den schnell aufgestellten Kochstellen lassen sich im Wok im Hand-umdrehen verführerisch duftende Gerichte zubereiten. Sie werden nach Belieben mit oder ohne Brühe zubereitet und schmecken nach Zitronengras und Koriander, Minze und Chili, Knoblauch und Garnelenpaste. Darüber schwebt – unwiderstehlich – das zarte Aroma von Duftreis. Hat man sich für eine der Köstlichkeiten entschieden, nimmt man unter dem Sonnen-schirm auf einem der winzigen Plastikhocker Platz, die um die Garküche gruppiert sind und genießt mit anderen Gästen ganz im Hier und Jetzt. Das Dessert liefert der Obstverkäufer auf der Straßenseite gegenüber oder die Händlerin nebenan, in deren mit Öl gefülltem Kessel knusprige Bananen brutzeln.

Das belebt den Alltag und schafft kleine Freuden zwischendurch, denn normalerweise wird erst abends die Hauptmahlzeit serviert, wenn die früh einbrechende Dunkelheit nach einem tropisch-warmen Tag Abkühlung bringt, die Menschen von der Arbeit nach Hause kommen und sich die Familien zum Essen versammeln. Die feinen Kleinigkeiten zwischendurch gliedern sich wunderbar in den freundlich-verhaltenen Lebensrhythmus der Thais ein. Viele dieser Häppchen sind deshalb auch beliebte Gaumenkitzler, die man isst, wenn man sich abends mit Freunden auf ein Glas trifft. Sie dienen zur Einstimmung auf ein gutes Essen im Familienkreis.

GRÜNE MANGO MIT SÜSSEM CHILI-DIP
NAM JIM MAMUANG PLA WAAN

Für 4 Personen

- 3 kleine getrocknete rote Chilischoten
- 4 kleine rote Schalotten
- 200 g Palmzucker
- 1 ½ EL Fischsauce
- ½ EL Garnelenpaste
- 5 g kleine getrocknete Garnelen
- 2 große grüne Thai-Mangos (siehe Tipp)

Zubereitungszeit:
15 Min.
Pro Portion ca.
265 kcal

1. Die getrockneten Chilischoten im Wok ohne Fett braun rösten, auskühlen lassen und anschließend im Mörser fein zerstoßen.

2. Die Schalotten schälen und in feine Streifen schneiden. In einer Schüssel Palmzucker, Fischsauce und die Garnelenpaste vermischen. Die Mischung im Wok bei kleiner Hitze aufkochen und so lange rühren, bis der Zucker geschmolzen ist. Dann die getrockneten Garnelen, die Schalotten und die Chiliflocken dazugeben und bei kleiner Hitze unter ständigem Rühren ca. 2 Min. weiterköcheln lassen. Die Mischung in ein Schälchen umfüllen.

3. Die Mangos schälen und das Fruchtfleisch am harten Kern entlang der Länge nach in Schnitze schneiden. Auf einem Teller verteilen. Nach Belieben mit Chiliflocken bestreuen. Den süßen Chili-Dip extra dazu reichen.

TIPP
Es ist wichtig, dass Sie unreife Mangos kaufen, nur diese bringen die gewünschte Säure. Falls Sie keine grünen Thai-Mangos bekommen, können Sie andere Mangosorten verwenden. Bei anderen Sorten zeigt die Farbe nicht den Reifegrad an. Sie können grün, rot oder gelb sein, müssen aber auf jeden Fall hart sein. Das Fruchtfleisch darf auf Fingerdruck nicht nachgeben. Wenn Sie das Rezept variieren möchten, können Sie es auch mit säuerlichen Äpfeln oder knackigen Guaven-Schnitzen versuchen.

GEBRATENE FLEISCHSTREIFEN

GERÖSTETE CASHEWNÜSSE MIT CHILI UND
FRÜHLINGSZWIEBELN

MED MAMUANGHIMAPAN THOD

Für 8 Personen
300 ml Öl
300 g ungesalzene Cashewnüsse
1 kleine Frühlingszwiebel
5 rote Vogelaugenchilis
1 TL Salz

Zubereitungszeit:
10 Min.
Pro Portion ca.
385 kcal

1. Das Öl im Wok stark erhitzen, die Cashewnüsse zugeben und unter
ständigem Rühren in 2–3 Min. goldbraun braten. Sobald die Cashewnüsse
Farbe annehmen, mit einem Schaumlöffel herausheben, auf Küchenpapier
abtropfen und auskühlen lassen.

2. Die Frühlingszwiebel waschen, putzen und in feine Röllchen schneiden.
Die Vogelaugenchilis waschen, putzen und in feine Ringe schneiden.

3. Die abgekühlten Cashewnüsse in eine Schüssel umfüllen, Salz, Frühlingszwiebel und Chiliringe dazugeben. Alles gut vermischen und in Schälchen
umfüllen.

GEBRATENE FLEISCHSTREIFEN

NÜA DÄD DIAU

Für 4–8 Personen
500 g Rinder- oder Schweinefilet
1 EL vegetarische Austernsauce
½ EL Salz
1 EL Zucker
1 TL helle Sojasauce
½ TL frisch gemahlener weißer
Pfeffer
1 EL weiße Sesamsamen
½ l Öl

Zubereitungszeit:
15 Min.
Marinierzeit:
über Nacht
Bei 8 Portionen pro
Portion ca.
95 kcal

1. Das Fleisch schräg in lange Streifen schneiden und in eine Schüssel geben.
Alle Gewürze dazugeben und gut mit dem Fleisch vermischen. Die Schüssel
mit Frischhaltefolie abdecken und über Nacht in den Kühlschrank stellen.

2. Das Fleisch aus dem Kühlschrank holen und ca. 10 Min. stehen lassen.
Das Öl im Wok stark erhitzen und das Fleisch darin portionsweise in
2–3 Min. hellbraun braten, herausheben und auf Küchenpapier abtropfen
lassen. Die Fleischstreifen als kleine Mahlzeit zwischendurch oder zu einem
Aperitif reichen.

TIPP
In Thailand isst man diese Fleischstreifen mit Klebreis, frischen Gurken,
Thai-Basilikum oder anderem rohen Gemüse und einem scharfen Chili-Dip
für gegrilltes Fleisch (Seite 54).

INFO
Der Begriff *däd diau* bedeutet »an der Sonne getrocknet«. Nach dem
Marinieren trocknet man das Fleisch in Thailand mindestens 5 Std. an der
Sonne. Dadurch wird es haltbarer und muss nicht gleich gebraten werden.

SÜSSSAURER PFLAUMEN-DIP
NAM JIM BUAY

Für 4–6 Personen
4 sauer eingelegte chinesische Pflaumen
1 EL Einlegeflüssigkeit
7 EL Zucker

Zubereitungszeit: 25 Min.
Bei 6 Portionen pro Portion ca. 80 kcal

1. Die Pflaumen zwischen den Fingern so lange reiben, bis sich der Kern herauslösen lässt.

2. Die Pflaumen, die Einlegeflüssigkeit und den Zucker mit 125 ml Wasser in einem Topf aufkochen und unter Rühren ca. 20 Min. weiterköcheln, bis die Sauce dickflüssig wird. Die Mischung im Topf auskühlen lassen und in ein Schälchen umfüllen. Zu Frühlingsrollen oder anderen frittierten Speisen reichen.

INFO
Die eingelegten chinesischen Pflaumen bekommen Sie im Asienladen im Glas. Sie können extrem sauer sein. Wenn Ihnen die Sauce zu sauer ist, verwenden Sie weniger Pflaumen und lassen Sie eventuell die Einlegeflüssigkeit weg.

FISCHSAUCE MIT CHILIS
NAM PLA PRIK

Für 4 Personen
5–10 rote und grüne Vogelaugenchilis
1 ½ EL Limettensaft
1 ½ EL Fischsauce

Zubereitungszeit: 5 Min.
Pro Portion ca. 10 kcal

1. Die Chilis waschen, putzen und in feine Ringe schneiden.

2. Den Limettensaft und die Chiliringe in ein Schälchen geben. Dann die Fischsauce unterrühren.

INFO
In Thailand steht auf jedem Tisch ein Schälchen mit frischer *nam pla prik* zum individuellen Nachwürzen. Die Sauce lässt sich noch variieren: Geben Sie 1 kleine rote, in feine Streifen geschnittene Schalotte oder 1 fein gewürfelte Knoblauchzehe dazu.

TIPP
Vegetarier ersetzen die Fischsauce durch Sojasauce.

SÜSSSAURER DIP MIT ERDNÜSSEN
NAM JIM SAI TUA LISONG

Für 4–6 Personen
10 g saure Tamarindenpaste
3 kleine getrocknete rote Chilischoten
½ TL Öl
3 EL ungesalzene geröstete Erdnüsse
3 EL Palmzuckerwasser (Seite 84)
1 TL Salz

Zubereitungszeit: 20 Min.
Bei 6 Portionen pro Portion ca. 155 kcal

1. Die Tamarindenpaste in 5 EL Wasser einweichen. Die Chilischoten im Wok im Öl bei mittlerer Hitze unter ständigem Rühren braten, bis sie duften. Auf einem Teller auskühlen lassen. Erdnüsse im Mörser grob zerstoßen.

2. Die Tamarindenpaste mit den Fingern ausdrücken und 3 EL Saft, das Palmzuckerwasser, 3 EL Wasser und das Salz in einem Topf aufkochen. Die Hitze reduzieren und die Mischung ca. 10 Min. bei kleiner Hitze köcheln.

3. Chilis zerkrümeln, mit den Erdnüssen zur Sauce geben und 5 Min. köcheln lassen. Bei Bedarf je 1 EL Wasser und 1 EL Tamarindensaft dazugeben, 1 Min. weiterköcheln. Dieser Dip schmeckt zu frittierten Frühlingsrollen.

CHILI-DIP MIT GARNELEN-PASTE
NAM PRIK KAPI

Für 4 Personen
15 Vogelaugenchilis
7 kleine Knoblauchzehen
1 EL Garnelenpaste
10 erbsengroße grüne Thai-Auberginen
1 TL Palmzucker
2 EL Limettensaft
2 EL Fischsauce

Zubereitungszeit: 15 Min.
Pro Portion ca. 35 kcal

1. Die Chilis waschen und putzen, den Knoblauch schälen und beides mit der Garnelenpaste in einem großen Mörser stampfen. Die Thai-Auberginen waschen, vom Stiel zupfen und zur Chili-Knoblauch-Mischung geben, nochmals stampfen, bis die Auberginen aufgebrochen sind.

2. Palmzucker, Limettensaft und Fischsauce zugeben, alles mit dem Stößel im Mörser reiben, dabei gut vermischen, jetzt nicht mehr stampfen. Wenn die Masse zu trocken ist, 1 EL sehr heißes Wasser unterrühren. Den Dip zu rohem, gekochtem und gebratenem Gemüse und Reis reichen. Auch kleine gebratene Salzwasserfische (z. B. Makrelen) schmecken dazu.

CHILI-DIP MIT GERÖSTETEN PAPRIKASCHOTEN
NAM PRIK NUMM

Für 4 Personen
200 g grüne und rote Paprikaschoten
50 g lange grüne Chilischoten
50 g lange rote Chilischoten
100 g kleine rote Schalotten
4 große Knoblauchzehen
1 Frühlingszwiebel
½ Bund Koriandergrün
je 2 EL Limettensaft und Fischsauce
1 TL Palmzuckerwasser (Seite 84)

Zubereitungszeit: 40 Min.
Pro Portion ca. 55 kcal

1. Den Backofen auf 200° vorheizen. Paprika- und Chilischoten waschen und mit den ungeschälten Schalotten und dem ungeschälten Knoblauch auf einem Blech im Ofen (Mitte, Umluft 180°) 15–20 Min. rösten. Abkühlen lassen, häuten, braune Stellen abschneiden. Frühlingszwiebel waschen, putzen und in feine Röllchen schneiden. Koriander waschen, trocken schütteln, die Blättchen abzupfen und beiseitelegen.

2. Paprika, Chilischoten, Schalotten und Knoblauch im Mörser leicht stampfen. Limettensaft, Fischsauce und Palmzuckerwasser unterrühren. Dip in eine Schüssel geben, mit Koriander und Frühlingszwiebel bestreuen. Mit Gemüse und Reis servieren.

CHILI-DIP MIT KNUSPRIGEM SCHWEINESPECK
NAM PRIK MUH GROB

Für 4 Personen
100 g knuspriger Schweinespeck (Seite 234)
1 Korianderwurzel
5 Knoblauchzehen
50 g getrocknete rote Chilischoten
1 EL Garnelenpaste
15 g saure Tamarindenpaste
1 EL Palmzucker
1 TL Salz
10 EL Pflanzenöl

Zubereitungszeit: 20 Min.
Pro Portion ca. 370 kcal

1. Den Schweinespeck in feine Scheiben schneiden. Die Korianderwurzel waschen und trocken tupfen, beiseitelegen. Knoblauch schälen. Chilischoten, Knoblauch, Garnelen- und Tamarindenpaste mit Palmzucker, Salz und der Korianderwurzel im Mörser gut stampfen.

2. Das Öl im Wok erhitzen und die gestampfte Masse bei mittlerer Hitze unter Rühren anbraten, bis sie intensiv duftet. Den Schweinespeck zugeben und unter Rühren 1 Min. weiterbraten.

3. In eine Schüssel umfüllen und mit Gurken, gekochtem Gemüse oder Salzeiern genießen. Wer mag, streut Korianderblättchen darüber.

OMELETT MIT DORNENGRASGEMÜSE
KHAI CHA OM THOD

Für 4 Personen

200 g Dornengrasgemüse (Seite 291; ersatzweise zarte Spinatblätter)

2 Eier

½ TL Zucker

1 ½ EL vegetarische Austernsauce

1 TL Butter oder Öl

Zubereitungszeit:
15 Min.
Pro Portion ca.
65 kcal

1. Vom Dornengrasgemüse nur die jungen, weichen Triebe abzupfen, waschen und abtropfen lassen, danach grob zerkleinern und in eine Schüssel geben.

2. Die Eier aufschlagen und mit dem Zucker und der Austernsauce zum Gemüse in die Schüssel geben. Die Zutaten mit dem Schneebesen gut verrühren.

3. Butter oder Öl in einer flachen Pfanne erhitzen. Den Teig hineingeben, mit der Holzkelle etwas andrücken und bei mittlerer Hitze ca. 4 Min. braten. Das Omelett wenden und auf der anderen Seite ebenfalls ca. 4 Min. braten.

4. Auf ein Holzbrett geben, in mundgerechte Stücke schneiden, anrichten und servieren.

TIPP
Das Omelett kann gut als Häppchen zum Aperitif vor dem Abendessen gereicht werden, ebenso wie die gerösteten Cashewnüsse oder die gebratenen Fleischstreifen (Seite 27).

GEFÜLLTE TEIGTASCHEN
KHANOM JIB

Für 4 Personen
10 kleine Knoblauchzehen
100 ml Öl
3 getrocknete Shiitakepilze
250 g Schweinehackfleisch
1 Eigelb
½ TL Speisestärke
½ TL Sojasauce
1 TL vegetarische Austernsauce
1 TL Zucker
¼ TL frisch gemahlener schwarzer Pfeffer
100 g TK-Wan-Tan-Teigblätter (für Suppe)

Zubereitungszeit:
45 Min.
Pro Portion ca.
290 kcal

1. Den Knoblauch schälen und im Mörser stampfen. 100 ml Öl im Wok sehr stark erhitzen, den Knoblauch hineingeben und unter Rühren knusprig goldbraun braten. Auf Küchenpapier abtropfen lassen und beiseitelegen.

2. Die TK-Wan-Tan-Blätter antauen lassen. Die Shiitakepilze ca. 20 Min. in warmem Wasser einweichen. Anschließend die Stiele entfernen und die Hüte in feine Streifen schneiden. Das Hackfleisch in eine Schüssel geben und mit den Pilzstreifen, dem Eigelb, Stärke, Sojasauce, 1 TL Öl, Austernsauce, Zucker und Pfeffer gut vermischen.

3. Den Einsatz vom Dampfgarer bereitstellen. Die Teigblätter nacheinander in die Hand nehmen, je 1 TL Füllung daraufgeben und die Teigblätter mit den Fingern zu kleinen Päckchen zusammendrücken. Dabei immer ein feuchtes Küchenpapier auf das oberste Blatt legen, dann lässt es sich gut ablösen. Die Päckchen auf den Einsatz vom Dampfgarer setzen.

4. Das Wasser im Dampfgarer erhitzen und die Teigtaschen bei mittlerer Hitze zugedeckt je nach Größe 5–10 Min. dämpfen. Den Dampfgarer vom Herd nehmen und die Taschen etwas auskühlen lassen. Auf einer Platte anrichten und mit dem Knoblauch bestreuen.

TIPPS
Wenn Sie die Teigtaschen für Gäste zubereiten, können Sie sie auch einzeln in kleine Formen setzen und dämpfen wie oben beschrieben.
Als Dip zu den Teigtaschen reicht man die Chilisauce *sri racha* (Fertigprodukt) oder den süßsauren Pflaumen-Dip (Seite 28).

VARIANTE
TEIGTASCHEN MIT GARNELENFÜLLUNG
Für die Füllung statt der 250 g Hackfleisch nur 200 g Hackfleisch und 100 g fein gehackte rohe Garnelen verwenden. Vor dem Dämpfen jede Teigtasche zusätzlich mit 1 kleinen rohen Garnele belegen und wie oben beschrieben garen.

GEFÜLLTE TEIGTASCHEN

GEMÜSE-TEMPURA
PAK TSCHUB BÄNG THOD

Für 4 Personen
Für den Teig:
200 g Tempuramehl
1 Ei
½ EL Zucker
½ TL Salz
Für das Gemüse:
150 g lange Thai-Bohnen
150 g Zwiebeln
150 g frische Babymaiskolben
200 g Ananasfruchtfleisch
Außerdem:
ca. 1 l Öl zum Frittieren

Zubereitungszeit:
40 Min.
Pro Portion ca.
370 kcal

1. Für den Teig das Tempuramehl mit 300 ml kaltem Wasser, dem Ei, Zucker und Salz in einer Schüssel mit dem Schneebesen gut schlagen. Ca. 20 Min. in den Kühlschrank stellen.

2. Inzwischen die Thai-Bohnen waschen, putzen und in 5 cm lange Stücke schneiden. Die Zwiebeln schälen und in 5 mm dicke Ringe schneiden. Die Babymaiskolben waschen und längs halbieren oder vierteln. Die Ananas in 2 cm breite Stücke schneiden. Alle Gemüse und Früchte ca. 10 Min. in den Kühlschrank stellen.

3. Das Öl zum Frittieren im Wok stark erhitzen. Gemüse und Teig aus dem Kühlschrank nehmen. Teig nochmals aufschlagen, zuerst die Bohnen, dann die Maiskolben und die Ananasstücke portionsweise in den Tempurateig tauchen und portionsweise im heißen Öl schwimmend in 3–5 Min. goldbraun und knusprig ausbacken. Das Öl muss immer sehr heiß sein, damit der Teig goldbraun und knusprig wird. Zum Schluss die Zwiebelringe in den Teig tauchen und portionsweise im heißen Öl schwimmend in ca. 2 Min. goldbraun und knusprig ausbacken.

4. Die Gemüsestücke sofort auf Küchenpapier abtropfen lassen und möglichst heiß servieren. Nach Belieben süßsauren Dip mit Erdnüssen oder süßsauren Pflaumen-Dip (beide Seite 28) dazu reichen.

VARIANTE

GARNELEN-TEMPURA
Für 4–6 Personen **500 g rohe Garnelen** schälen. Den Kopf abtrennen, den Schwanzfächer dranlassen. Den Darm herauslösen. Garnelen kalt abbrausen, trocken tupfen und kühl stellen. **200 g Tempuramehl** mit 300 ml kaltem Wasser in einer Schüssel mit dem Schneebesen kräftig schlagen. **1 EL helle Sojasauce** dazugeben und weiterschlagen, bis ein dicklicher Teig entstanden ist. Den Teig kühl stellen. Reichlich **Öl** im Wok stark erhitzen, die Garnelen portionsweise im heißen Öl 5–8 Min. unter gelegentlichem Rühren ausbacken. Auf Küchenpapier abtropfen lassen und heiß mit dem süßsauren Pflaumen-Dip (Seite 28) oder der Chilisauce *sri racha* (Fertigprodukt) servieren.

VEGETARISCHE FRÜHLINGSROLLEN
PHO PHIA THOD

Für 40-50 Frühlingsrollen
5 getrocknete Shiitakepilze
200 g Weißkohl
100 g Möhren
2 Frühlingszwiebeln
5 Knoblauchzehen
1 EL Öl
3 EL vegetarische Austernsauce
1 TL Zucker
frisch gemahlener weißer Pfeffer
40–50 Teigblätter für Frühlingsrollen (TK oder frisch)
Außerdem:
ca. 1 l Öl zum Frittieren
2 Salatgurken zum Servieren

Zubereitungszeit:
1 Std.
Bei 50 Stück pro Stück ca.
50 kcal

1. Die Shiitakepilze mindestens 20 Min. in warmem Wasser einweichen. Inzwischen den Weißkohl waschen, putzen und in sehr feine Streifen schneiden. Die Möhren schälen und mit dem Gemüsehobel in feine Streifen schneiden. Die Frühlingszwiebeln waschen, putzen und in feine Röllchen schneiden. Knoblauch schälen und fein hacken. Die Pilze aus dem Wasser nehmen, den Stiel entfernen und die Hüte in feine Streifen schneiden.

2. Das Öl im Wok erhitzen. Den Knoblauch hineingeben und glasig anbraten, dann die Pilze, den Weißkohl, die Möhren sowie die Austernsauce und den Zucker zugeben. Alles bei mittlerer Hitze ca. 10 Min. unter gelegentlichem Rühren weich garen. Den Wok vom Herd nehmen, die Frühlingszwiebelröllchen unterrühren, alles mit weißem Pfeffer abschmecken und auskühlen lassen.

3. Eventuell TK-Teigblätter auftauen lassen. Die Teigblätter auf einem feuchten Küchentuch auslegen und je 1 EL ausgekühlte Füllung in die Mitte im unteren Drittel geben. Das Teigblatt nach oben umschlagen, dann die beiden Seiten straff einschlagen und alles nach oben einrollen. Die fertigen Rollen mit Abstand zueinander auf ein Holzbrett legen.

4. Das Öl zum Frittieren im Wok stark erhitzen und die Frühlingsrollen portionsweise in 3–4 Min. goldgelb und knusprig ausbacken. Herausheben und auf Küchenpapier abtropfen lassen.

5. Die Gurken schälen, halbieren, entkernen und in längliche Stücke schneiden. Mit den Frühlingsrollen auf einer Platte anrichten und mit dem süßsauren Pflaumen-Dip (Seite 28) servieren. Pro Portion rechnet man 3–4 Röllchen.

TIPP
Die Frühlingsrollen lassen sich wunderbar einfrieren. Es lohnt sich, gleich eine größere Menge zuzubereiten. Die fertigen, nicht frittierten Rollen einzeln einfrieren und bei Bedarf 5–6 Min. frittieren.

Für 6–10 Personen
1 kg kleine Hühnerunterschenkel
½ Bund Koriandergrün
5 Knoblauchzehen
1 EL weiße Sesamsamen
1 ½ TL Salz
1 ½ EL Palmzucker
1 TL frisch gemahlener weißer Pfeffer
200 g Tempuramehl
Außerdem:
ca. 1 l Öl zum Frittieren

Zubereitungszeit:
20 Min.
Marinierzeit:
1 Std.
Bei 10 Portionen pro Portion ca.
285 kcal

GEBRATENE HÜHNERSCHENKEL MIT SESAMSAMEN

NONG BIG GAI THOD NGA KHAO

1. Die Hühnerschenkel waschen und trocken tupfen. Am Beinknochen rundherum einschneiden und das Fleisch zum Schenkel hin gut zurückschieben. Zugedeckt kühl stellen, bis der Teig fertig ist.

2. Den Koriander waschen, trocken schütteln, die Blättchen abzupfen und kleiner zupfen. Den Knoblauch schälen und fein hacken, mit dem Koriander, dem Sesam, Salz, Zucker und Pfeffer in einer Schüssel vermischen. Das Tempuramehl mit 300 ml Wasser in einer Schüssel anrühren und zu den Gewürzen geben. Die Hühnerschenkel dazugeben und mit dem Teig vermischen. Die Hühnerschenkel zugedeckt ca. 1 Std. im Kühlschrank marinieren.

3. Das Öl zum Frittieren im Wok stark erhitzen. Die Hühnerschenkel aus dem Kühlschrank nehmen und nacheinander im heißen Öl je nach Größe in 6–10 Min. goldbraun und knusprig frittieren. Herausheben und auf Küchenpapier abtropfen lassen. Heiß oder kalt mit dem süßsauren Pflaumen-Dip (Seite 28) servieren.

Für 4–6 Personen
600 g kleine Hühnerunterschenkel
1 Zweig Rosmarin
½ EL Salz
1 TL frisch gemahlener weißer Pfeffer
½ TL edelsüßes Paprikapulver
3 EL ungesüßte Kondensmilch
1 ½ EL Palmzucker
2 EL Öl

Zubereitungszeit:
40 Min.
Marinierzeit:
über Nacht
Bei 6 Portionen pro Portion ca.
190 kcal

HÜHNERSCHENKEL AUS DEM OFEN

NONG BIG GAI OPP

1. Am Vortag die Hühnerschenkel waschen und trocken tupfen. Am Beinknochen rundherum einschneiden und das Fleisch zum Schenkel hin gut zurückschieben.

2. Den Rosmarin waschen und die Nadeln abzupfen. Die Hühnerschenkel in eine Schüssel geben und mit Rosmarin, Salz, Pfeffer, Paprikapulver, Kondensmilch, Zucker und dem Öl vermischen. Mit Frischhaltefolie abdecken und über Nacht im Kühlschrank marinieren.

3. Den Backofen auf 225° vorheizen. Ein Backblech mit Alufolie belegen, die Hühnerbeine darauf verteilen und im Ofen (Mitte, Umluft 200°) ca. 30 Min. backen, je nach Größe der Schenkel etwas länger. Mit dem süßsauren Pflaumen-Dip (Seite 28) und frischen Gurkenstücken servieren.

HÜHNERSCHENKEL AUS DEM OFEN

SATAY-SPIESSCHEN MIT ERDNUSSSAUCE
GAI SATAY SAI SALAD DÄNG GWA

Für 8 Personen
Für die Spieße:
1 kg Hähnchenbrustfilet oder Rinderfilet
20 g gelbe Currypaste (Seite 184)
100 ml Öl
200 ml ungesüßte Kondensmilch
1 EL Salz
1 TL frisch gemahlener weißer Pfeffer
1 EL Zucker
1 ½ EL Honig
Für die Sauce:
100 g ungesalzene Erdnüsse
600 ml Kokosmilch
10 g gelbe Currypaste (Seite 184)
½ EL Salz
1 TL Zucker
Außerdem:
ca. 40 Holzspieße

Zubereitungszeit:
1 Std. 10 Min.
Marinierzeit:
4 Std. oder über Nacht
Pro Portion ca.
540 kcal

1. Das Hähnchenbrustfilet waschen und trocken tupfen. Das Fleisch in 2 cm lange und 1 cm dicke Streifen schneiden, in eine Schüssel geben und mit der gelben Currypaste, dem Öl, der Kondensmilch, Salz, Pfeffer, Zucker und Honig mischen. Mit Frischhaltefolie abdecken und mindestens 4 Std. im Kühlschrank marinieren.

2. Für die Sauce die Erdnüsse im Wok ohne Fett hellbraun rösten und auskühlen lassen. Mit 300 ml Kokosmilch im Mixer gut pürieren. Die restliche Kokosmilch mit der Currypaste, dem Salz und dem Zucker im Wok unter ständigem Rühren aufkochen. Sobald das Curry duftet, die Erdnuss-Kokos-milch-Mischung zugeben, nochmals aufkochen und anschließend unter gelegentlichem Rühren bei mittlerer Hitze 20 Min. weiterköcheln.

3. Die Holzspieße ca. 1 Std. in Wasser einweichen. Das Fleisch aus dem Kühlschrank holen und nochmals gut mit der Marinade mischen. Auf jeden Holzspieß ca. 5 Fleischstücke stecken, dabei die Hälfte vom Spieß frei lassen.

4. Die Spießchen auf dem Grill bei kleiner bis mittlerer Hitze 3–5 Min. grillen. Oder den Backofen auf 250° vorheizen und die Spieße auf ein mit Alufolie belegtes Blech legen. Im heißen Ofen (Mitte, Umluft 220°) etwa 15 Min. braten, nach der Hälfte der Zeit wenden. Die Sauce nochmals aufkochen und in Schälchen füllen. Die Satay-Spieße mit der Erdnusssauce und Gurkensalat servieren.

GURKENSALAT

1 kg Salatgurken schälen und in feine Scheiben hobeln, mit ½ **EL Salz** bestreuen und mindestens 2 Std. im Kühlschrank ziehen lassen. Für die Sauce 10 **EL Reisessig** und 5 **EL Zucker** aufkochen und unter Rühren bei kleiner Hitze 5 Min. weiterköcheln. **2 EL Limettensaft** dazugeben und weitere 5 Min. köcheln lassen. Anschließend auskühlen lassen. Die Gurken gut ausdrücken und mit der Sauce vermischen. **10 kleine rote Schalotten** schälen. **3 lange rote Chilischoten** *chee faa* waschen, längs halbieren, entkernen. Beides in Streifen schneiden und mit den Gurken vermischen. **1 Frühlings-zwiebel** waschen, putzen und in feine Röllchen schneiden. ½ **Bund Korian-dergrün** waschen und trocken schütteln, die Blättchen abzupfen. Frühlings-zwiebel und Korianderblätter über den Salat streuen.

DIE KUNST DES GRILLENS

Das Grillen auf offenen Feuerstellen und Holzkohleöfen hat in Thailand eine lange Tradition. Auf einem Rost über der Glut von Holzkohle oder Kokosnussschalen werden Geflügel und Fleisch, Fisch und Meeresfrüchte, aber auch Gemüse und Früchte gegrillt. Fünf Begriffe bezeichnen in Thailand die verschiedenen Arten des Grillens.

AUF DIE SANFTE ART – PING
Um die knusprigen, wunderbar schmeckenden Klebreisbratlinge (Seite 59) zuzubereiten, grillt man sie bei schwacher bis mittlerer Hitze, bis sie goldfarben sind. Sie sind dann außen etwas knusprig, innen jedoch ganz zart.

ÜBER SCHWACHER HITZE – YANG
Erfahrung und Geduld verlangt das Grillen bei schwacher Hitze und fast erlöschender Glut. Diese Methode ist ideal für fettreiche, ganze Fische, zum Beispiel Katzenwels, der so saftig bleibt und eine zarte Kruste bekommt. Aber auch Bananenblätter, gefüllt mit einer Fisch-Curry-Mischung oder süßem Klebreis, werden so schonend gegart. Und die beliebten Fleischstücke vom Grill *muh rüh nüa yang* aus der Küche des Nordostens (Seite 54) werden ebenfalls auf diese Weise gegart.

SCHNELL UND HEISS – PHAUW
Bei dieser Variante werden kleinere Stücke des Grillguts über starker Hitze gegrillt, sodass es außen schwarz wird und ein scharfes rauchiges Aroma gewinnt. Die für den Chili-Dip *nam prik numm* benötigten Gemüse, ungeschälte Schalotten und Knoblauchknollen werden so auf dem Holzkohlengrill vorbereitet. Die verbrannte äußere Schicht wird vor dem Essen entfernt.

KURZ UND GUT – SIAB MAAI
Für das Grillen von Fleisch oder Fisch auf Spießen (Seite 50) braucht man eine mittlere Glut. Nach zwei bis fünf Minuten auf jeder Seite sind die Spieße gar und schmecken köstlich zu verschiedenen Dips.

IM BAMBUSROHR – LARM
Für diese Art des Garens über offenem Feuer, die im Norden und Nordosten üblich ist, benötigt man ein dickes weites Bambusrohr. Das bekannteste Gericht, das auf diese Art hergestellt wird, ist süßer *khao larm*. Dazu mischt man Klebreis mit Kokoscreme, Palmzucker und oft auch schwarzen Bohnen und füllt dies in ein Stück Bambusrohr. Dieses wird gut verschlossen und in die Glut gelegt. Zum Öffnen schlägt man den Bambus einfach auf und löst die Füllung heraus.

Für 4 Personen
2 Limetten
12 große rohe Garnelen ohne Schale
1 EL flüssige Butter
2 TL Salz
Außerdem:
4 Holzspieße

Zubereitungszeit:
15 Min.
Pro Portion ca.
150 kcal

GARNELENSPIESSE VOM GRILL

GUNG PHAUW SIAB MAAI

1. Die Holzspieße in Wasser legen.

2. Die Limetten auspressen und den Saft mit 1 l Wasser mischen. Die Garnelen im Limettenwasser waschen, herausnehmen und trocken tupfen.

3. Die Garnelen in einer Schüssel mit der flüssigen Butter und dem Salz mischen, Je 3 Garnelen auf einen Holzspieß stecken. Auf dem Grill bei mittlerer Hitze 5–8 Min. grillen, dabei öfter wenden.

4. Dazu passt die Chilisauce *sri racha* (Fertigprodukt) oder der scharfe Chili-Knoblauch-Dip (siehe unten).

Für 4 Personen
10 kleine Knoblauchzehen
25 Vogelaugenchilis
1 EL Limettensaft
1 EL Fischsauce
1 TL Zucker
½ Bund Koriandergrün

Zubereitungszeit:
15 Min.
Pro Portion ca.
40 kcal

CHILI-KNOBLAUCH-DIP FÜR FISCH UND MEERESFRÜCHTE VOM GRILL

NAM PRIK GLÜA

1. Den Knoblauch schälen, die Vogelaugenchilis waschen und putzen. Knoblauch und Chilis im Mörser gut stampfen. Den Limettensaft zugeben, dann die Fischsauce und den Zucker einrühren und alle Zutaten gut vermischen. In ein Schälchen umfüllen.

2. Den Koriander waschen und trocken schütteln. 10–15 Blättchen abzupfen und auf den Dip streuen.

VARIANTEN

SÜSSWASSERGARNELEN VOM GRILL

1 kg Süßwassergarnelen, wie oben beschrieben, in **Limettenwasser** waschen, trocken tupfen und mit einer Mischung aus **2 EL Öl** und **1 EL Salz** bepinseln. Auf dem Grill bei kleiner Hitze ca. 10 Min. grillen, dabei häufig wenden. Dazu passt ebenfalls der scharfe Chili-Knoblauch-Dip.

BÄRENKREBSE UND TASCHENKREBSE VOM GRILL

4 TK-Bärenkrebse (je ca. 250 g) auftauen lassen. **3 Limetten** auspressen und den Saft (6 EL) in einer Schüssel mit 2 l Wasser mischen. Die Bärenkrebse darin waschen, herausnehmen und gut trocken tupfen. Die Bärenkrebse mit ½ **EL Salz** rundherum einreiben und auf dem Grill bei kleiner Hitze 10–15 Min. unter häufigem Wenden grillen. Dabei für die Unterseite (Bauch) insgesamt ca. 10 Min., für den Rücken ca. 5 Min. Grillzeit rechnen. Die Krebse auf Tellern anrichten und mit dem Chili-Knoblauch-Dip servieren.

SÜSSWASSERGARNELEN VOM GRILL

GARNELENSPIESSE VOM GRILL

BREITKOPF-BÄRENKREBSE VOM GRILL

TASCHENKREBSE VOM GRILL

THUNFISCH VOM GRILL

SÜSSWASSERFISCH VOM GRILL
PLA NIN YANG

Für 4 Personen
3 EL Reisessig
4 küchenfertige Süßwasserfische (je ca. 500 g, z. B. Forelle, Karpfen, Zander, Wels)
4 Stängel Zitronengras
20 Kaffirlimetten-Blätter
½ Tasse Salz

Zubereitungszeit:
25 Min.
Pro Portion ca.
65 kcal

1. In einer Schüssel 1 l Wasser mit dem Essig vermischen und die Fische darin waschen. Anschließend gut trocken tupfen.

2. Das Zitronengras waschen und mit einem Stößel leicht quetschen. Die Kaffirlimetten-Blätter waschen und trocken tupfen. In jeden Fisch vom Maul her 1 Stängel Zitronengras und 5 Kaffirlimetten-Blätter stecken. Die Fische mit wenig Wasser besprengen und auf beiden Seiten mit dem Salz bestreuen. Das Salz gut festklopfen.

3. Die Fische bei kleiner Hitze 15–20 Min. grillen, dabei öfter wenden.

GANZER THUNFISCH VOM GRILL
PLA OOH YANG

Für 4 Personen
3 EL Reisessig
1 küchenfertiger Thunfisch (ca. 1 kg, ersatzweise Wolfsbarsch, roter oder weißer Schnapper)
1 EL weiche Butter
1 TL Salz

Zubereitungszeit:
10 Min.
Kühlzeit:
20 Min.
Grillzeit:
30 Min.
Pro Portion ca.
300 kcal

1. 1 l Wasser mit dem Essig vermischen und den Fisch darin waschen. Anschließend gut trocken tupfen.

2. Die weiche Butter mit dem Salz vermischen und den Fisch damit einpinseln. Ca. 20 Min. zugedeckt im Kühlschrank marinieren.

3. Den Thunfisch bei kleiner Hitze 25–30 Min. unter gelegentlichem Wenden grillen.

VARIANTE

THUNFISCHSTEAK VOM GRILL

Für 4 Personen 1 ½ EL **helle Sojasauce**, 2 EL **Öl**, 1 TL **grob gemahlenen schwarzen Pfeffer** und 1 ½ EL **Austernsauce** in einer Schüssel vermischen. 4 **Thunfischsteaks (je ca. 200 g)** dazugeben und die Marinade mit den Händen einreiben. Im Kühlschrank ca. 30 Min. marinieren lassen. Die Steaks bei mittlerer Hitze auf jeder Seite ca. 5 Min. grillen.

DAZU

Zu allen Rezepten passt die Fischsauce mit Chilis *nam pla prik* (Seite 28).

Für 4 Personen
10 Knoblauchzehen
10 Vogelaugenchilis
1 Korianderwurzel
1 EL Öl
1 EL helle Sojasauce
2 EL Tomatenketchup
1 kg frische Tintenfische (ca. 4 Stück oder kleine Kraken)
Limette zum Servieren

Zubereitungszeit:
20 Min.
Marinierzeit:
30 Min.
Pro Portion ca.
240 kcal

TINTENFISCHE VOM GRILL
PLA MÜK YANG

1. Den Knoblauch schälen, die Chilis waschen und putzen. Die Korianderwurzel waschen. Knoblauch, Chili und die Wurzel im Mörser gut stampfen. Danach das Öl, die Sojasauce und das Ketchup zugeben und gut mischen.

2. Die Tintenfische waschen und trocken tupfen. Mit der Marinade in eine Schüssel geben und gut einreiben. Zugedeckt ca. 30 Min. im Kühlschrank marinieren.

3. Tintenfische bei mittlerer Hitze unter häufigem Wenden je nach Größe 8–10 Min. goldbraun grillen.

4. Auf ein Brett legen, in feine Streifen schneiden und mit Limette und dem scharfen Dip servieren.

Für 4 Personen
10 Knoblauchzehen
20 Vogelaugenchilis
1 Bund Koriandergrün
5 EL Reisessig
2 EL Fischsauce
½ TL Zucker

Zubereitungszeit:
15 Min.
Pro Portion ca.
50 kcal

SCHARFER DIP FÜR GEGRILLTEN TINTENFISCH
NAM JIM PLA MÜK

1. Den Knoblauch schälen, die Chilis waschen und putzen, den Koriander ebenfalls waschen und trocken schütteln. Alle Zutaten klein schneiden, in den Mixer geben und sehr fein hacken.

2. Den Reisessig, die Fischsauce und den Zucker dazugeben und alles nochmals durchmixen. Den Dip in Schälchen umfüllen und zu den gegrillten Tintenfischen servieren.

TINTENFISCHE VOM GRILL

Für 4 Personen
2 Korianderwurzeln
100 ml ungesüßte Kondensmilch
2 EL Öl
1 EL Zucker
1 TL Salz
1 TL grob gemahlener schwarzer Pfeffer
500 g Schweine- oder Rindfleisch zum Grillen

Zubereitungszeit:
20 Min.
Marinierzeit:
1 Std.
Pro Portion ca.
255 kcal

GANZES FLEISCHSTÜCK VOM GRILL
MUH RÜ NÜA YANG

1. Die Korianderwurzeln waschen und im Mörser stampfen. Mit der Kondensmilch, dem Öl, Zucker, Salz und Pfeffer vermischen. Das Fleisch in 3 gleich große Stücke schneiden, gut mit der Marinade einreiben und mindestens 1 Std. zugedeckt im Kühlschrank marinieren.

2. Das Fleisch auf dem Grill bei mittlerer Hitze ca. 10 Min. unter gelegentlichem Wenden grillen. Schweinefleisch sollte in jedem Fall durchgegart werden. Je nach Geschmack kann das Rindfleisch mehr oder weniger durchgegart werden.

3. Die Fleischstücke nach Belieben in etwas kleinere Stücke oder feine Streifen schneiden und mit dem Dip servieren.

TIPP
In Thailand isst man dazu frische Kräuter, z. B. Thai-Basilikum *horapha* oder Pfefferminzblätter, rohes Gemüse und Klebreis.

Für 4 Personen
3 EL Limettensaft
1 TL gemahlener Klebreis (Seite 86)
1 EL Palmzuckerwasser (Seite 84)
1 TL Chiliflocken (Seite 86, oder Fertigprodukt)
1 EL Fischsauce
1 kleine Frühlingszwiebel
½ Bund Pfefferminze

Zubereitungszeit:
10 Min.
Pro Portion ca.
25 kcal

DIP FÜR GEGRILLTES FLEISCH
NAM JIM MUH RÜ NÜA YANG

1. In einer Schüssel den Limettensaft, den gemahlenen Klebreis, das Zuckerwasser, die Chiliflocken und die Fischsauce gut mischen.

2. Die Frühlingszwiebel waschen, putzen und in feine Röllchen schneiden. Die Pfefferminze waschen und trocken schütteln, die zarten, jungen Blättchen abzupfen und in feine Streifen schneiden. Frühlingszwiebel und Minze unter die Sauce mischen und in ein Schälchen umfüllen. Zu gegrilltem Fleisch reichen.

GRILLSPIESSE MIT ANANAS UND GEMÜSE
TSCHIGRABAP

Für 4 Personen
5 Vogelaugenchilis
5 Knoblauchzehen
1 Stängel Koriandergrün mit Wurzel
300 g Schweinefleisch zum Grillen
½ TL frisch gemahlener schwarzer Pfeffer
2 EL Öl
1 EL Zucker
2 EL vegetarische Austernsauce
1 TL Salz
10 Kirschtomaten
1 gelbe Paprikaschote
300 g Ananasfruchtfleisch
Außerdem:
10 Holzspieße

Zubereitungszeit:
45 Min.
Marinierzeit:
1 Std.
Pro Portion ca.
260 kcal

1. Für die Marinade die Chilis waschen und putzen, den Knoblauch schälen und beides im Mörser stampfen. Den Koriander waschen und trocken schütteln, die Wurzel abschneiden, in den Mörser geben und ebenfalls stampfen. Dann erst die Korianderblätter beigeben und mit der Masse zerstoßen.

2. Das Schweinefleisch in 2 x 3 cm große Streifen schneiden, in eine Schüssel geben und mit der gestampften Gewürzmischung, Pfeffer, Öl, Zucker, Austernsauce und Salz vermischen. Zugedeckt im Kühlschrank ca. 1 Std. marinieren lassen. Die Holzspieße 1 Std. wässern.

3. Die Kirschtomaten waschen und abtropfen lassen. Die Paprikaschote waschen, halbieren, entkernen und in 2 x 3 cm große Stücke schneiden. Die Ananas ebenfalls in 2 x 3 cm große Stücke schneiden.

4. Das Fleisch aus dem Kühlschrank nehmen und abwechselnd 1 Tomate, 2 Fleischstücke, 1 Paprikastück, 2 Fleischstücke und 1 Ananasstück auf die Holzspieße stecken. Die Spieße bei mittlerer Hitze unter häufigem Wenden 5–8 Min. grillen. In Thailand reicht man zu diesen Grillspießen Tomatenketchup.

VARIANTE
SCHWEINEFLEISCHSPIESSE VOM GRILL
5 große Knoblauchzehen schälen. **3 Korianderwurzeln** waschen und beides mit **½ EL Korianderkörner** im Mörser stampfen. **1 EL Speisestärke**, **½ TL frisch gemahlenen Pfeffer**, **4 EL Kokosmilch**, **4 EL Öl**, **1 EL Zucker** und **1 TL Salz** dazugeben und gut untermischen. **500 g Schweinefleisch** zum Grillen in Streifen schneiden, dazugeben und gut mit der Marinade mischen. Zugedeckt mindestens 1 Std. im Kühlschrank marinieren. **Holzspieße** 1 Std. wässern. Das Fleisch auf Holzspieße stecken und bei mittlerer Hitze 5–8 Min. unter Wenden grillen.

KLEBREISBRATLINGE VOM GRILL

Für 4 Personen
8 kleine Thai-Bananen
1 EL flüssige Butter
1 TL Salz

Zubereitungszeit:
15 Min.
Pro Portion ca.
140 kcal

KLUAY PING

1. Die Schale der Bananen auf einer Seite mit dem Messer längs einschneiden. Bei kleiner Hitze unter gelegentlichem Wenden ca. 10 Min. grillen.

2. Die Butter und das Salz in einem Schälchen mischen. Sobald die Bananen gar sind, mit der Butter-Salz-Mischung einpinseln. Nochmals 1 Min. auf den Grill legen. Die Bananen warm auf Tellern anrichten. Wer möchte, legt sie auf ein Bananenblatt.

Für 6 Personen
600 g frisch gekochter Klebreis (Seite 145)
4 EL flüssige Butter
1 TL Salz
Außerdem:
6 kleine Plastiktüten (ca. 5 x 5 cm)

Zubereitungszeit:
20 Min.
Pro Portion ca.
155 kcal

KLEBREISBRATLINGE VOM GRILL

KHAO NIAU PING

1. Den Klebreis in sechs Portionen teilen, in die Plastiktüten füllen, gut stopfen und dann flach klopfen.

2. Die Butter und das Salz in einem Schälchen mischen. Die Klebreis-Bratlinge aus den Plastiktüten nehmen, mit der Butter-Salz-Mischung einpinseln und bei sehr kleiner Hitze ca. 10 Min. unter häufigem Wenden und Einpinseln mit der Butter-Salz-Mischung grillen. Die knusprigen Bratlinge werden als Beilage zu Gegrilltem gereicht.

SALATE

1 HÜHNER- UND ENTENEIER
KHAI GAI SOT,
KHAI PET SOT
Die Eier unterscheiden sich durch die Farbe der Schale. Die braunen sind Hühnereier, die weißen Enteneier. In Thailand benutzt man für Süßspeisen Enteneier.

2 EIER-SPEZIALITÄTEN
Salzeier (khai khem, Rezept Seite 73) sind eine beliebte Beilage zu Reis und nam-prik-Saucen. Tausendjährige Eier (khai hauw mah) erhalten die rote Schale und ihr schwarzes, geleeartiges Inneres durch einen aufwendigen Konservierungsprozess. Man serviert sie als Vorspeise mit Chili und Erdnüssen oder als Salat. Die kleinen Wachteleier (khai nok gatta) genießt man als Spiegelei mit Sojasauce oder gekocht als Salatzutat (siehe auch Bild Seite 72).

3 WASSERKASTANIE
HÄOUW
Die walnussgroße Sprossenknolle wächst in stehenden Gewässern in der Nähe des Äquators. Das helle, feste, leicht nussartig schmeckende Fleisch wird sehr geschätzt; auch bei langer Garzeit bleibt es knackig. Wasserkastanie wird in Wokgerichten, Currys, Salaten und Süßspeisen verwendet. Dosenware ist eine gute Alternative zu frischer Ware.

4 FRISCHE KOKOSMILCH
GATI SOT
Für Kokosmilch wird das Fruchtfleisch geraspelt, mit kochendem Wasser übergossen und durch ein Tuch gepresst. Die milchige Flüssigkeit hat 15–25 % Fettgehalt, je nach Wassermenge. Die zurückbleibende faserige Masse wird nochmals mit kochendem Wasser ausgepresst, woraus eine dünnere Kokosmilch entsteht. Kokosmilch wird in den Anbauländern kleinindustriell erzeugt und weltweit exportiert. Man verwendet sie in vielen Hauptspeisen, Saucen und Suppen. Für Süßspeisen nimmt man die dickflüssige Kokoscreme.

5 GETROCKNETE NUDELN
Getrocknete Reisnudeln (sen guitiauw hääng) und getrocknete Glasnudeln (sen wunsen) gibt es in vielen verschiedenen Formen – von haarfeinen bis zu breiten Bandnudeln. Sie werden eingeweicht und dann wie frische Nudeln zubereitet.

6 FRISCHE REISNUDELN
SEN GUITIAUW
Frische Reisnudeln gibt es in verschiedenen Formen. Die breite sen yai, die schmale sen lek und als ganze Teigplatte pän giauw. Ungekühlt sind sie weich und bleiben 1–2 Tage frisch. Im Kühlschrank werden sie hart und müssen vor der Verwendung gedämpft werden. Wunderbar schmecken die zarten weißen, spaghettiartigen kanom jin aus Reismehl. Frisch bekommt man sie nur in Thailand. Alternativ können getrocknete Nudeln im Asienladen gekauft werden. Thais essen Nudeln am liebsten als Suppe, gebraten oder pad thai (Rezept Seite 166).

7 PALMZUCKER
NAM THAN BIP
Der beste Palmzucker Thailands wird aus der Palmyrapalme gewonnen. Man schneidet den Stamm an und sammelt den herauslaufenden Saft. Er wird zu einem dicken Sirup gekocht und an der Sonne getrocknet. Im Asienladen gibt es verschiedene Sorten. Die steinharten Blöcke im Mörser zerstoßen und luftdicht aufbewahren.

8 TOFU UND SOJAMILCH
TAHU, NAM TAHU
Frisch werden mehrere Sorten angeboten. Bekannt sind der weiche Seidentofu und der feste gepresste Tofu. Seidentofu schmeckt wunderbar in Suppen. Der festere lässt sich gut im Wok braten oder in Currys garen. Tofu hat kaum Eigengeschmack und wird auch für Süßes verwendet.

9 ZWERGWASSERLINSEN
KHAI NAM
Die Thais nennen diese Kleinstpflanze »Wassereier«. Die winzigen grünen Linsen schwimmen zu Millionen auf der Oberfläche von stehenden Gewässern. Vor allem im Norden und Nordosten Thailands sammelt man sie zum Essen. Sie sind eine willkommene proteinhaltige Zugabe zu scharfen Salaten.

PIKANTER GARNELENSALAT
YAM GUNG

Für 4 Personen
100 g Schweinehackfleisch
150 g rohe Garnelen ohne Schale
1 EL Fischsauce
1 grüne Thai-Mango
5–10 Vogelaugenchilis
1 Schalotte
4 Frühlingszwiebeln
3 EL Palmzuckerwasser (Seite 84)
½ Bund Koriandergrün

Zubereitungszeit:
20 Min.
Pro Portion ca.
170 kcal

1. Im Wok 100 ml Wasser aufkochen, das Schweinehackfleisch zugeben und unter gelegentlichem Rühren bei mittlerer Hitze garen.

2. Die Garnelen kalt abbrausen und trocken tupfen. Den schwarzen Darm am Rücken mit einem spitzen Messer herauslösen. Garnelen und Fischsauce zum Schweinehackfleisch geben, aufkochen lassen und bei mittlerer Hitze ca. 5 Min. köcheln lassen, bis die Garnelen gar sind. Die Flüssigkeit wegschütten und die Garnelen-Hackfleisch-Mischung in eine Schüssel umfüllen.

3. Die Mango schälen und das Fruchtfleisch mit einem Sparschäler in sehr feinen Streifen abschneiden, bis nur der Kern zurückbleibt. Die Chilis waschen, putzen und in feine Ringe schneiden. Die Schalotte schälen und in feine Streifen schneiden. Die Frühlingszwiebeln waschen, putzen und in feine Röllchen schneiden.

4. Die Schalotte und die Chilis mit dem Palmzuckerwasser zur Hackfleisch-Garnelen-Mischung geben und unterrühren. Anschließend die Mangostreifen und die Frühlingszwiebeln zugeben, alle Zutaten vorsichtig vermischen und den Salat auf einer Platte anrichten. Koriander waschen und trocken schütteln, die Blättchen abzupfen und auf den Salat streuen.

TIPP
Sollte die Mango nicht sauer genug sein, können Sie mit 1 EL Limettensaft nachwürzen. Falls der Salat zu wenig salzig sein sollte, etwas Fischsauce dazugeben.

SCHARFER SALAT AUS ROHEN GARNELEN
GUNG SOT TSCHÄ NAM PLA

1. Für den Salat die Garnelen schälen, Kopf abtrennen, den Schwanzfächer dranlassen. Den schwarzen Darm am Rücken mit einem spitzen Messer herauslösen. Garnelen längs in der Mitte ca. 1 cm tief einschneiden. In 1 l kaltem Wasser mit 3 EL Reisessig waschen, abtropfen lassen und gut trocken tupfen. Garnelen auf einer gekühlten Platte flach gedrückt anrichten und ca. 10 Min. in das Tiefkühlfach legen.

2. Die Bittergurke waschen, halbieren und in sehr feine Scheibchen schneiden. Den Knoblauch schälen und je nach Größe ganz lassen oder in feine Scheibchen schneiden. Die Pfefferminze waschen, trocken schütteln und die Blättchen abzupfen. Alles kühl stellen.

3. Für die Sauce die Chilis waschen und putzen, den Knoblauch schälen und beides im Mörser stampfen. Anschließend den Limettensaft und die Fischsauce zugeben und umrühren. Mit dem Zucker abschmecken. Der Geschmack der Sauce soll scharf, sauer und salzig sein.

4. Die Garnelen aus dem Tiefkühlfach nehmen und die Sauce darübergießen. Den Salat mit einigen Pfefferminzblättchen und einigen Bittergurkenscheiben garnieren. Restliche Pfefferminze und Bittergurkenscheiben extra dazu reichen.

Für 4 Personen
Für den Salat:
20 rohe Garnelen mit Schale
3 EL Reisessig
1 kleine frische chinesische Wild-Bittergurke (ersatzweise 1 frische Einlegegurke)
10 kleine Knoblauchzehen
1 Bund Pfefferminze
Für die Sauce:
5–10 Vogelaugenchilis
10 Knoblauchzehen
2 EL Limettensaft
3 EL Fischsauce
1 Prise Zucker

Zubereitungszeit:
25 Min.
Pro Portion ca.
175 kcal

SCHARFER SALAT AUS ROHEN FISCHFILETS

YAM PLA SOT

Für 4 Personen

250 g sehr frisches Filet von Salzwasserfischen (z. B. Steinbutt, Zackenbarsch, Brasse, Schnapper)
1 Stängel Zitronengras
2 kleine rote Schalotten
5–10 Vogelaugenchilis
1 Stange chinesischer Schnittsellerie
1 Frühlingszwiebel
4 EL Limettensaft
3 EL Fischsauce

Zubereitungszeit:
20 Min.
Pro Portion ca.
75 kcal

1. Die Fischfilets waschen, trocken tupfen, in mundgerechte Stücke schneiden und zugedeckt in den Kühlschrank stellen.

2. Die äußeren Blätter vom Zitronengras entfernen, die inneren Stängel waschen und in feine Ringe schneiden. Die Schalotten schälen, halbieren und in feine Streifen schneiden. Die Chilis waschen, putzen und in feine Ringe schneiden. Sellerie und Frühlingszwiebel ebenfalls waschen, putzen und in 2 cm lange Stücke schneiden.

3. Die gekühlten Fischstücke mit Zitronengras, Limettensaft, Fischsauce, Chiliringen und Schalottenstreifen in einer Schüssel gut vermischen und ca. 5 Min. im Kühlschrank ziehen lassen.

4. Vor dem Anrichten Sellerie und Frühlingszwiebel vorsichtig unterheben. Den Salat servieren.

INFO

Chinesischer Schnittsellerie ist aromatischer und kräftiger im Geschmack; seine dünnen, langen Stiele und Blätter sind zarter als normaler Staudensellerie. Staudensellerie kann ersatzweise verwendet werden. Dafür sollten die Stängel gut entfädelt und längs in Streifen geschnitten werden, bevor er wie Schnittsellerie verarbeitet wird.

RUND, FEIN, VIELSEITIG – EIER

CHINESISCHEN EINWANDERERN IST ES ZU VERDANKEN, DASS EIER UND EIERSPEISEN EINZUG IN DIE THAILÄNDISCHE KÜCHE HIELTEN. DENN IN ALTER ZEIT WAR ES KEINESWEGS ÜBLICH, EIER AUF DEN TISCH ZU BRINGEN. DIE BAUERN HIELTEN HÜHNER ALS FLEISCHLIEFERANTEN.

Mit der Einwanderung chinesischer Siedler wurde das Essen von Eiern und Eierspeisen unter den Thais populär. Diese Einwanderer verstanden sich ausgezeichnet auf die Zucht von Enten und die Zubereitung von Gerichten mit Geflügel und Eiern.

Im Lauf der Zeit wurden die Zubereitungsarten von den Thais kreativ verfeinert. So gibt es beispielsweise eine Brattechnik, bei der das Eiweiß knusprig und leicht braun wird, das Eigelb etwas stockt, aber innen noch leicht flüssig bleibt. Dazu serviert man fein geschnittene Schalotten und Chilis und schmeckt mit einer pikanten Fischsauce ab. Ein typisches in ganz Thailand beliebtes Gericht ist das ursprünglich aus China stammende geschmorte Schweinefleisch mit Paloh-Gewürzmischung *muh paloh* (Seite 230) mit einer feinen Gewürzpaste und hart gekochten Eiern.

Früher wurden all diese Speisen ausschließlich mit Enteneiern zubereitet. Heute verwendet man oft die günstigeren Hühnereier. Es gibt jedoch noch Regionen im Nordosten und im Norden, in denen bei der Zubereitung alter, überlieferter Rezepte nur Enteneier verwendet werden.

Ausschließlich Enteneier werden für die Spezialität *khai khem* verwendet (Seite 73). Diese Salzeier gehören in jeden thailändischen Kühlschrank, weil man aus ihnen schnell eine delikate Mahlzeit zaubern kann.

Die Zubereitung von Süßspeisen mit Eiern geht schließlich auf die Einflüsse der abendländischen Küche zurück. Aus der Zeit der Herrscher Ayutthayas stammen die sogenannten »goldenen Desserts«, die bis heute aus Enteneiern zubereitet werden. So sind die goldfarbenen *thong yip, thong yot, foy thong und med khanun* die Krönung jedes festlichen Mahls und zugleich Glücksbringer für jeden, der davon isst, denn im thailändischen Glauben steht die Farbe Gold für Wohlstand und Glück.

TAUSENDJÄHRIGE EIER (ROT), SALZEIER (WEISS) UND KLEINE WACHTELEIER

PIKANTER SALAT MIT SALZEIERN
YAM KHAI KHEM

1. Die Frühlingszwiebeln waschen, putzen und in 3 cm lange Stücke schneiden. Die Chilis waschen, putzen und in feine Ringe schneiden. Die Erdnüsse im Wok ohne Fett rösten.

2. Das Palmzuckerwasser in ein Schüsselchen geben, den Limettensaft, die Chilis und die Fischsauce dazugeben und alles gut verrühren. Die Erdnüsse und die Frühlingszwiebeln zugeben und mischen.

3. Die Salzeier pellen, halbieren oder vierteln und auf einer Platte anrichten. Mit der Sauce beträufeln. Die Bio-Limette waschen, abtrocknen, in Viertel schneiden und dazulegen.

SALZEIER

1 l Wasser mit **250 g Salz** aufkochen und so lange kochen, bis sich das Salz aufgelöst hat. Etwas abkühlen lassen. **6 Enteneier** (ersatzweise Hühnereier) in einer Schüssel mit der Salzlösung bedecken und zugedeckt an einem kühlen Ort 15-30 Tage ziehen lassen. Dann wachsweich oder hart kochen. In Thailand bereitet man Salzeier nur mit Enteneiern zu. Sie sind eine beliebte Beilage zu Reissuppe, Curry oder *nam-prik*-Saucen.

TAUSENDJÄHRIGE EIER

Eine Spezialität, die man in Thailand im Supermarkt kaufen kann. Sie sind an der hellroten Schale zu erkennen. Folgende Zubereitung ist besonders beliebt:

PIKANTER SALAT AUS TAUSENDJÄHRIGEN EIERN

3 kleine getrocknete rote Chilischoten in einem Wok ohne Fett rösten, abkühlen lassen und in 1 cm große Stücke schneiden. **½ Bund indisches Basilikum** waschen und trocken schütteln, Blättchen abzupfen. **100 ml Öl** im Wok stark erhitzen und die Basilikumblättchen darin frittieren. Herausheben und auf Küchenpapier abtropfen lassen. **1 EL Palmzuckerwasser** (Seite 84), **1 ½ EL Limettensaft** und **1 EL Fischsauce** in einem Schälchen vermischen. **3 kleine rote Schalotten** schälen und in feine Streifen schneiden. **Einige Salatblätter** waschen, trocken schleudern und auf einer Platte auslegen. **4 tausendjährige Eier** pellen, halbieren und darauf anrichten. Mit der Sauce übergießen. Schalotten, Basilikum und Chilistücke darüberstreuen.

Für 4 Personen
5 Frühlingszwiebeln
5–10 Vogelaugenchilis
40 g ungesalzene Erdnüsse
½ EL Palmzuckerwasser (Seite 84)
1 EL Limettensaft
1 EL Fischsauce
4 hart gekochte Salzeier (siehe unten)
1 Bio-Limette

Zubereitungszeit:
15 Min.
Pro Portion ca.
20 kcal

PAPAYASALAT MIT GERÖSTETEN ERDNÜSSEN

PAPAYASALAT MIT GERÖSTETEN ERDNÜSSEN

SOM THAMM THAI

1. Papaya und Möhren schälen und mit einem Sparschäler in feine lange Streifen schneiden. Die Bohne waschen. putzen und in ca. 2 cm lange Stücke schneiden. Beides beiseitelegen. Die Tamarindenpaste in 3 EL Wasser einweichen. Die Erdnüsse im Wok ohne Fett goldbraun rösten.

2. Knoblauch schälen, Chilis waschen und putzen und beides im Mörser gut stampfen. Die Bohnenstücke und ca. 1 Handvoll Papayastreifen zugeben und stampfen, bis beides leicht gequetscht ist. Die Limette heiß waschen, abtrocknen und vierteln. 1 Viertel ausdrücken, die anderen 3 beiseitelegen. Die Kirschtomaten waschen.

3. Die Tamarindenpaste mit den Fingern ausdrücken und 1 ½ EL Saft in den Mörser geben. Palmzucker, Limettensaft und Fischsauce zugeben und unterheben. Die Limettenschnitze mit den Fingern leicht zusammendrücken und mit den Kirschtomaten, den Möhrenstreifen und den restlichen Papayastreifen dazugeben. Alle Zutaten im Mörser nochmals leicht stampfen und gleichzeitig mit einem Löffel gut vermischen. Den Salat auf einem Teller anrichten, mit den Erdnüssen bestreuen und servieren.

Für 4 Personen
200 g feste gelb-grüne Papaya
100 g Möhren
1 lange Thai-Bohne
50 g saure Tamarindenpaste
2 EL ungesalzene Erdnüsse
5 kleine Knoblauchzehen
4–5 frische lange rote Chilischoten
1 Bio-Limette
6–10 säuerliche Kirschtomaten
1 EL Palmzucker
1 ½ EL Fischsauce

Zubereitungszeit:
20 Min.
Pro Portion ca.
85 kcal

PIKANTER FRUCHTSALAT MIT WACHTELEIERN

SOM THAMM PON LA MAAI

1. Die Wachteleier hart kochen, abschrecken, vorsichtig pellen, halbieren und beiseitestellen. Die Erdnüsse im Wok ohne Fett rösten. Knoblauch schälen, Chilis waschen, putzen und beides mit 1 EL Erdnüssen im Mörser stampfen. Limettensaft, Palmzucker und Fischsauce untermischen. Die Bio-Limette heiß waschen, abtrocknen, in 6 Schnitze schneiden und die Kerne herauslösen. Schnitze leicht in die Sauce ausdrücken und dazugeben.

2. Die Tomaten waschen und halbieren oder vierteln, den Apfel waschen, halbieren, vom Kerngehäuse befreien und klein schneiden. Möhre und Mango schälen, mit dem Sparschäler in feine Streifen hobeln. Ananas in 1 cm große Würfel schneiden.

3. Alle Früchte und Gemüse in den Mörser geben und vorsichtig mit dem Stößel etwas quetschen, dabei mit einem Löffel vermischen. Die restlichen Erdnüsse darüberstreuen. Den Salat auf einem Teller anrichten, mit den Wachteleiern garnieren und sofort servieren.

Für 4 Personen
10 Wachteleier
2 EL ungesalzene Erdnüsse
5 Knoblauchzehen
2–3 frische lange rote Chilischoten
2 EL Limettensaft
1 EL Palmzucker
1 EL Fischsauce
1 Bio-Limette
4 säuerliche Kirschtomaten
1 roter Wasserapfel oder
1 roter Apfel
1 kleine Möhre
1 kleine grüne Thai-Mango
100 g Ananasfruchtfleisch

Zubereitungszeit:
30 Min.
Pro Portion ca.
155 kcal

PICKNICK – EIN BESONDERES VERGNÜGEN

WAS GIBT ES SCHÖNERES, ALS DRAUSSEN IN DER NATUR IN EINER FRÖHLICHEN RUNDE DEN TAG ZU GENIESSEN UND ES SICH DABEI RICHTIG GUT GEHEN ZU LASSEN? DIE LIEBE DER THAI ZUM PICKNICKEN UND DRAUSSEN ESSEN UND TRINKEN IST REINSTES *SANUK* – EIN VERGNÜGEN.

So steht auf einer Inschrift in den Ruinen Sukhothais: »Gemeinsam stimmen sie singend in den Klang der Instrumente ein. Wer immer vergnügt sein will, ist es. Wer immer lachen will, tut es.« Seit den Tagen Sukhothais hat sich gewiss vieles verändert, der Inhalt dieser Inschrift aber wird insbesondere beim Picknicken und Feiern immer wieder gelebt.

An langen Wochenenden oder an Feiertagen wird die ganze Familie zusammengetrommelt und es geht an den Strand, an einen See, zu einem rauschenden Wasserfall oder in einen nahe gelegenen Nationalpark. Hat man nur wenig Zeit für einen Ausflug, sucht man den nächstbesten begrünten Platz und setzt sich in einen Stadtpark oder den Garten hinter dem Haus. Jede sich bietende Gelegenheit zu einem Picknick wird sofort in die Tat umgesetzt.

Dabei braucht man nicht einmal viel Gepäck, geschweige denn lange Vorbereitungszeiten in der Küche. Es genügen ein paar große Matten, um auf einer Wiese oder im Schatten eines großen Baumes zu lagern. Für die musikalische Untermalung hat sicher jemand eine Gitarre oder Bongos dabei. Die Verpflegung besorgt man sich dann unterwegs in einer der vielen Garküchen. Überall findet man Stände oder grob gezimmerte Bretterhütten, die etwas Feines anbieten.

Die beliebtesten »Open-air-Gerichte« stammen aus dem Nordosten. Sie sind einfach in der Zubereitung, gewinnen aber durch Kräuter und Chili komplexe Geschmacksnuancen und stellen eine willkommene Abwechslung zur Alltagsküche dar. Zu einem Isan-Picknick gehört auf jeden Fall gegarter Klebreis, ein gegrilltes Hähnchen, ein gegrillter Fisch und vielleicht ein paar Schweinefleischspieße mit verschiedenen Dips. Dazu gibt es einen scharfen Papayasalat und danach frisches Obst, Kokosküchlein oder frittierte Bananenstücke. Geschirr und Besteck braucht man in der Regel nicht, da die meisten Speisen mit der Hand verzehrt werden. Zum Trinken holt man sich Wasser und die Milch aus frischen Kokosnüssen. So macht das Leben wahrlich Freude.

SCHARFER TINTENFISCHSALAT
YAM PLA MÜK

Für 4 Personen

500 g frische Tintenfischtuben (küchenfertig)

5–10 Vogelaugenchilis

2 EL Limettensaft

1 EL Fischsauce

1 rote Schalotte

4 Frühlingszwiebeln

4 Stangen chinesischer Schnittsellerie

2 große Tomaten

evtl. Korianderblättchen zum Garnieren

Zubereitungszeit:
20 Min.

Pro Portion ca.
135 kcal

1. Die Tintenfische waschen, trocken tupfen und in mundgerechte Stücke oder Ringe schneiden. Den Wok erhitzen, die Tintenfischstücke hineingeben und ca. 2 Min. braten. Sobald die Tintenfische gar sind, in eine Schüssel umfüllen.

2. Die Chilis waschen, putzen und in feine Ringe schneiden. In ein Schüsselchen geben und mit Limettensaft und Fischsauce vermischen.

3. Die Schalotte schälen, halbieren und in feine Streifen schneiden. Die Frühlingszwiebeln und den Sellerie waschen und putzen. Beides in 2–3 cm lange Stücke schneiden. Die Tomaten waschen, halbieren, von den Stielansätzen befreien und jede Hälfte in 3 Schnitze schneiden.

4. Die Sauce mit der Schalotte, dem Sellerie und den Frühlingszwiebeln zum Tintenfisch geben und alles gut vermischen. Die Tomatenschnitze dazugeben und vorsichtig unterheben. Den Salat nach Belieben mit Korianderblättchen garnieren.

PIKANTER SALAT MIT GEGRILLTEM FLEISCH
YAM MUH YANG

Für 4 Personen
Für den Salat:
1 Stange chinesischer Schnitt-sellerie mit Wurzel
10 kleine Knoblauchzehen
1 EL Öl
½ TL frisch gemahlener schwarzer Pfeffer
1 EL vegetarische Austernsauce
1 TL Salz
½ EL Zucker
300 g Schweine- oder Rinderfilet
Für die Sauce:
5–10 Vogelaugenchilis
3 EL Limettensaft
1 EL Fischsauce
½ EL Palmzuckerwasser (Seite 84)
1 TL gemahlener Klebreis (Seite 86)
2 rote Schalotten
2 Frühlingszwiebeln
1 Bund Pfefferminze
1 große Tomate
Außerdem:
1 Salatgurke
1 frischer Blattsalat (z. B. Kopfsalat, Lollo bianco)
1–2 EL geröstete Erdnüsse
Chiliflocken

Zubereitungszeit:
50 Min.
Marinierzeit:
1 Std.
Pro Portion ca.
240 kcal

1. Den Sellerie mit Wurzel waschen und putzen, den Knoblauch schälen und beides im Mörser gut stampfen. Öl, Pfeffer, Austernsauce, Salz und Zucker dazugeben und vermischen. Das Fleisch mit der Marinade einreiben und zugedeckt bei Zimmertemperatur ca. 1 Std. marinieren lassen.

2. Den Backofen auf 220° (Umluft 200°) vorheizen. Die Fettpfanne des Backofens mit Alufolie auslegen, den Rost auf die Fettpfanne legen und das Fleisch auf den Rost legen. Fleisch im heißen Ofen (Mitte) ca. 5 Min. braten. Die Temperatur auf 180° reduzieren und das Fleisch ca. 25 Min. braten. Damit es nicht austrocknet, immer wieder mit der austretenden Flüssigkeit übergießen.

3. Nach 20 Min. eine Garprobe machen. (Auf das Fleisch drücken, je weniger es nachgibt, desto mehr ist es durchgebraten. Schweinefleisch in jedem Fall ganz durchgaren). Das Fleisch aus dem Ofen nehmen und 5 Min. zugedeckt ruhen lassen. Anschließend in feine Scheiben schneiden und in eine Schüssel geben.

4. Für die Sauce die Chilis waschen, putzen und in feine Ringe schneiden, mit Limettensaft, Fischsauce und Palmzuckerwasser in einer Schüssel ver-mischen. Die Fleischstreifen und den gemahlenen Klebreis unterrühren.

5. Die Schalotten schälen, halbieren und in feine Streifen schneiden, die Frühlingszwiebeln waschen, putzen und in feine Röllchen schneiden. Die Pfefferminze waschen und trocken schütteln, ca. 20 Blättchen abzupfen. Die Tomate waschen, vom Stielansatz befreien und in 8 Schnitze schneiden.

6. Schalotten, Frühlingszwiebeln und Pfefferminzblätter zum Fleisch geben und vermischen. Die Tomatenschnitze vorsichtig unterheben und den Salat in einer Schüssel oder auf einer Platte anrichten.

7. Die Salatgurke schälen und in lange Stücke schneiden, die Salatblätter waschen und trocken schütteln. Beides mit der restlichen Pfefferminze auf eine Platte legen, mit Erdnüssen und Chiliflocken bestreuen. Mit Klebreis (Seite 145) und dem Salat servieren.

PIKANTER SALAT MIT GRÜNEM SPARGEL
YAM NOH MAAI FARANG

Für 4 Personen
150 g dünne grüne Spargelstangen
1 rote Schalotte
200 g rohe Garnelen mit Schale
1 EL Öl
50 g gemischtes Hackfleisch
1 EL helle Sojasauce
3 EL Limettensaft
2 EL Fischsauce
½ EL Palmzuckerwasser
(siehe unten)
5–10 Vogelaugenchilis
1 Frühlingszwiebel

Zubereitungszeit:
30 Min.
Pro Portion ca.
115 kcal

1. Die Spargelstangen waschen, die holzigen Enden großzügig abschneiden und die Stangen in 2–3 Stücke brechen. In einem Topf 1 l Wasser aufkochen. Den Spargel ca. 3 Min. sprudelnd kochen, herausheben und sofort in Eiswasser abschrecken. Herausheben und gut abtropfen lassen, beiseitestellen.

2. Die Schalotte schälen, halbieren und in feine Streifen schneiden. Beiseitelegen. Die Garnelen schälen, Kopf abtrennen, den Schwanzfächer dranlassen. Den schwarzen Darm am Rücken mit einem spitzen Messer herauslösen. Garnelen kalt abbrausen und trocken tupfen.

3. Das Öl im Wok erhitzen, die Garnelen ca. 5 Min. anbraten, herausheben und in eine Schüssel geben. Im gleichen Wok das Hackfleisch kräftig anbraten, mit ca. 150 ml Wasser ablöschen. Mit der Sojasauce abschmecken, zu den Garnelen geben. Limettensaft, Fischsauce, Palmzuckerwasser und Schalotte dazugeben und untermischen.

4. Die Chilis und Frühlingszwiebel waschen und putzen. Beides in feine Ringe schneiden und mit dem Spargel zur Hackfleisch-Garnelen-Mischung geben. Vorsichtig unterheben, den Salat auf einer Platte anrichten.

PALMZUCKERWASSER
100 g Palmzucker mit 125 ml Wasser aufkochen und unter ständigem Rühren bei mittlerer Hitze in ca. 5 Min. zu einem dünnflüssigen Sirup einkochen. Auskühlen lassen und in ein gut verschließbares Glasgefäß umfüllen. Das Zuckerwasser hält im Kühlschrank 1–2 Monate.

PIKANTER LAUWARMER HÜHNERFLEISCHSALAT

LAAB GAI

Für 4 Personen

2 große frische Galgantwurzeln
(80–100 g)

300 g Hähnchenbrustfilet

5 EL Öl

1 EL vegetarische Austernsauce

½–1 TL Chiliflocken (siehe unten)

1 EL gemahlener Klebreis
(siehe unten)

3 EL Limettensaft

5 Frühlingszwiebeln

Zubereitungszeit:
20 Min.
Pro Portion ca.
295 kcal

1. Die Galgantwurzeln schälen und sehr fein hacken. Das Fleisch waschen, trocken tupfen und mit einem schweren Messer nicht zu fein hacken.

2. Das Öl im Wok erhitzen und die Galgantwurzeln darin goldgelb und knusprig braten. Mit einer Schaumkelle herausheben und in einem Schälchen abkühlen lassen. Das gleiche Öl wieder erhitzen und das Hühnerfleisch darin kräftig anbraten. Die Austernsauce dazugeben und unterrühren. Hühnerfleisch durchgaren.

3. Den Wok vom Herd nehmen und alle Zutaten in eine Schüssel umfüllen. Die Chiliflocken, den gemahlenen Klebreis und den Limettensaft zugeben, alles gut umrühren.

4. Die Frühlingszwiebeln waschen, putzen und in feine Röllchen schneiden. Die knusprigen Galgantwurzeln und die Frühlingszwiebelröllchen zum Fleisch geben und vorsichtig unterheben.

DAZU
Es passt frisch gekochter Klebreis (Seite 145) und rohes Gemüse und Kräuter, z. B. Thai-Bohnen, Gurkenstücke, Basilikum und Pfefferminze.

CHILIFLOCKEN
Getrocknete Chilischoten (entweder rote Vogelaugenchilis oder rote *chee faa*) im Wok ohne Fett unter Rühren braun rösten. Vollständig auskühlen lassen und im Mörser gut zerstoßen. Die Chiliflocken halten sich in einem Schraubglas im Kühlschrank 1–2 Monate.

GEMAHLENER KLEBREIS
Gemahlener, gerösteter Klebreis wird gerne in der Küche des Isan verwendet. *Khao krua* dient vor allem bei gegrillten Fleischsalaten und den scharfen *laab*-Salaten als Bindemittel. In Thailand gibt es *khao krua* auf jedem Markt. Die Herstellung ist einfach, aber zeitaufwendig: Klebreis (oder Jasminreis) im Wok bei sehr kleiner Hitze 20–30 Minuten rösten, bis er golden ist und duftet. Dabei den Wok ständig rütteln, damit der Reis nicht anbrennt. Reis komplett auskühlen lassen und Mörser zu feinem Sand zerstoßen. *Khao krua* hält im Schraubglas im Kühlschrank sechs Monate. Er hat einen fein nussigen Geschmack und lässt sich nicht ersetzen.

PIKANTER SALAT MIT ZITRONENGRAS
YAM TAKRAI

1. Für die Sauce das Palmzuckerwasser mit Limettensaft und Fischsauce in einer Schüssel mit dem Schneebesen gut vermischen.

2. Die Chilischoten im Wok ohne Fett braun rösten, abkühlen lassen und in 1 cm lange Stücke schneiden. Beide Nusssorten im Wok ohne Fett goldbraun rösten.

3. Die Kaffirlimetten-Blätter waschen und trocken tupfen, vom mittleren Stängel abzupfen und die Hälften in haarfeine Streifen schneiden. Das Öl im Wok erhitzen und die Limettenblattstreifen darin knusprig braten, herausheben und auf Küchenpapier abtropfen lassen.

4. Vom Zitronengras alle faserigen Blätter entfernen, innere Stängel waschen und in feine Röllchen schneiden. Die Schalotten schälen, halbieren und in feine Streifen schneiden.

5. Die Zitronengras-Röllchen in eine Schüssel geben, die Cashewnüsse und Erdnüsse untermischen. Die Salatblätter waschen, trocken schütteln und auf einer Platte verteilen. Die Zitronengras-Nuss-Mischung auf den Salatblättern verteilen. Mit den Schalotten, den Chilistücken und den frittierten Limettenblättern bestreuen. Zum Schluss die Sauce darüberträufeln und den Salat servieren.

Für 4 Personen

3 EL	Palmzuckerwasser (Seite 84)
3 EL	Limettensaft
2 EL	Fischsauce
3	getrocknete lange rote Chilischoten
75 g	ungesalzene Cashewnüsse
50 g	ungesalzene Erdnüsse
15	Kaffirlimetten-Blätter
300 ml	Öl
10	Stängel Zitronengras (ca. 250 g)
10	kleine rote Schalotten
	einige Salatblätter zum Anrichten

Zubereitungszeit:
1 Std.

Pro Portion ca.
240 kcal

PIKANTER SALAT MIT SCHLANGEN-AUBERGINEN
YAM MAKÜA YAOW

Für 4 Personen
Für den Salat:
400 g Schlangen-Auberginen oder nicht zu dicke lila Auberginen
5 Knoblauchzehen
1 EL Öl
200 g Schweinehackfleisch
1 EL vegetarische Austernsauce
1 TL Zucker
Für die Sauce:
1 große rote Schalotte
5–10 Vogelaugenchilis
2 EL Limettensaft
1 EL Fischsauce
Außerdem:
3 kleine Frühlingszwiebeln oder Basilikumblätter zum Bestreuen
frisch gemahlener weißer Pfeffer

Zubereitungszeit:
15 Min.
Backzeit:
30 Min.
Pro Portion ca.
210 kcal

1. Den Backofen auf 225° vorheizen. Die Auberginen waschen und mit einem Zahnstocher ein paar Löcher einstechen. Auberginen auf ein Blech legen und im heißen Ofen (Mitte, Umluft 200°) 25–30 Min. rösten, bis die Schale braun wird und sich gut abziehen lässt. Aus dem Ofen nehmen und etwas abkühlen lassen. Die Schale abziehen, die Auberginen in 5 cm lange Stücke schneiden und auf eine Platte legen.

2. Den Knoblauch schälen und fein schneiden. Das Öl im Wok erhitzen, den Knoblauch hineingeben und kurz anbraten, dann das Hackfleisch zugeben und beides kräftig anbraten. Austernsauce, Zucker und 5 EL Wasser zugeben, umrühren und ca. 1 Min. weiterbraten, anschließend in eine Schüssel umfüllen.

3. Für die Sauce die Schalotte schälen, halbieren und in feine Streifen schneiden. Die Chilis waschen, putzen und in feine Ringe schneiden. Schalotte und Chilis mit Limettensaft und Fischsauce zum Hackfleisch geben und unterrühren. Das Ganze auf den Auberginen verteilen.

4. Die Frühlingszwiebeln waschen, putzen, in 2 cm lange Stücke schneiden und auf den Salat streuen. Oder Basilikumblätter aufstreuen. Mit weißem Pfeffer würzen und servieren.

PIKANTER POMELO-SALAT
YAM SOMM-O

Für 4 Personen
1 Pomelo (ca. 300 g Frucht-fleisch)
3 EL ungesalzene Erdnüsse
200 g rohe Garnelen mit Schale
1 EL Öl
2 kleine rote Schalotten
3 EL Palmzuckerwasser (Seite 84)
3 EL Limettensaft
2 EL Fischsauce
5–10 Vogelaugenchilis
3 kleine Frühlingszwiebeln

Zubereitungszeit:
20 Min.
Pro Portion ca.
315 kcal

1. Den Pomelo mit einem Messer schälen, sodass auch die weiße Haut entfernt wird. Die Filets aus den Häuten herauslösen, klein schneiden und in eine Schüssel geben. Beiseitestellen. Die Erdnüsse im Wok ohne Fett rösten.

2. Die Garnelen schälen, Kopf abtrennen, den Schwanzfächer dranlassen. Den schwarzen Darm am Rücken mit einem spitzen Messer herauslösen. Garnelen kalt abbrausen und gut trocken tupfen. Das Öl im Wok erhitzen, die Garnelen darin ca. 5 Min. braten, beiseitestellen.

3. Die Schalotten schälen, halbieren und in feine Streifen schneiden und auf die filetierten Pomelos streuen.

4. Das Palmzuckerwasser, den Limettensaft und die Fischsauce in einer Schüssel mit dem Schneebesen gut vermischen, die Garnelen untermischen und das Ganze über die Pomelos verteilen.

5. Die Chilis waschen, putzen und in feine Ringe schneiden. Die Frühlingszwiebeln waschen, putzen und in 2 cm lange Stücke schneiden. Beides über die Garnelen streuen. Den Salat mit den Erdnüssen bestreuen und servieren.

PIKANTER SALAT AUS GRÜNEN MANGOS
YAM MAMUANG SAI GUNG

1. Die Garnelen schälen, Kopf und Schwanz abtrennen und den schwarzen Darm am Rücken mit einem spitzen Messer herauslösen. Garnelen kalt abbrausen, gut trocken tupfen. Den Wok erhitzen und die Garnelen darin ca. 5 Min. braten. Herausnehmen und beiseitestellen.

2. Die Kokosflocken im Wok ohne Fett hellbraun rösten, herausnehmen und auskühlen lassen. Die Schalotten schälen, halbieren und in feine Streifen schneiden. Die Frühlingszwiebeln waschen, putzen und in feine Röllchen schneiden. Die Erdnüsse im Wok ohne Fett rösten.

3. Die Mango schälen und das Fruchtfleisch mit dem Sparschäler in feine Streifen schneiden. Die Streifen mit den Kokosflocken, Schalotten, Frühlingszwiebeln, Erdnüssen und Chiliflocken in einer Schüssel gut vermischen. Den Salat auf eine Platte oder in eine Servierschüssel geben.

4. Für die Sauce Limettensaft, Palmzuckerwasser und Fischsauce in einer Schüssel mit dem Schneebesen gut vermischen, die Garnelen dazugeben und unterrühren. Die Sauce mit den Garnelen über den Mangostreifen verteilen. Nach Belieben mit getrockneten Garnelen besteuen. Den Salat sofort servieren.

Für 4 Personen

150 g kleine rohe Garnelen mit Schale
4 EL Kokosflocken
3 kleine rote Schalotten
3 kleine Frühlingszwiebeln
2 EL ungesalzene Erdnüsse
1 große grüne Thai-Mango
1 TL Chiliflocken (Seite 86)
2 EL Limettensaft
2 EL Palmzuckerwasser (Seite 84)
1 ½ EL Fischsauce
evtl. getrocknete Garnelen zum Garnieren

Zubereitungszeit:
20 Min.
Pro Portion ca.
150 kcal

ANANASBLÜTE

WASSERAPFEL

SALAT AUS FRITTIERTEN BLÄTTERN UND BLÜTEN
YAM PAK GROB

1. Das Tempuramehl mit 180 ml kaltem Wasser mit dem Schneebesen in einer Schüssel gut verrühren. Bis zur Verwendung zugedeckt in den Kühlschrank stellen.

2. Die Möhre schälen und in feine Streifen schneiden. Die Spinat-, Basilikum- und Rucolablätter waschen und trocken schütteln. Die Blüten vorsichtig waschen und trocken schütteln.

3. Das Öl im Wok erhitzen und die Chilischoten 2–3 Min. darin frittieren. Herausnehmen, auf Küchenpapier abtropfen und abkühlen lassen.

4. Den Tempurateig aus dem Kühlschrank nehmen, die Möhrenstreifen portionsweise eintauchen und im heißen Öl ca. 5 Min. frittieren. Mit der Schaumkelle herausheben und auf Küchenpapier abtropfen lassen. Die Blätter und Blüten portionsweise in den Teig tauchen und im heißen Öl ca. 2 Min. ausbacken. Herausnehmen und auf Küchenpapier abtropfen lassen.

5. Die gerösteten Chilischoten in Ringe schneiden. Den Limettensaft, die Fischsauce und das Palmzuckerwasser in einer Schüssel mit dem Schneebesen gut verrühren, die Chiliringe dazugeben.

6. Die Schalotten schälen und in Ringe schneiden. Die frittierten Blätter und Blüten mit den Schalotten auf einer Platte anrichten und die Sauce darübergeben. Den Salat mit Cashewnüssen bestreuen.

Für 4 Personen

120 g	Tempuramehl
1	kleine Möhre
20 g	Spinatblätter
½ Bund	Thai-Basilikum, evtl. mit Blütenrispen
½ Bund	indisches Basilikum, evtl. mit Blütenrispen
10 g	Rucola
30 g	Kapuzinerkresse-Blüten oder Zucchini-Blüten
½ l	Öl zum Frittieren
5	getrocknete rote Chilischoten
3 EL	Limettensaft
2 ½ EL	Fischsauce
2 EL	Palmzuckerwasser (Seite 84)
4	Schalotten
50 g	geröstete Cashewnüsse

Zubereitungszeit:
30 Min.
Pro Portion ca.
280 kcal

SCHARFER SALAT MIT FEINEN NUDELN
THAMM SUA

Für 4 Personen

1 kleine feste Papaya (ca. 150 g)
1 lange Thai-Bohne
8 kleine Tomaten
6 kleine Knoblauchzehen
½ Bio-Limette
5 Vogelaugenchilis
60 g saure Tamarindenpaste
1 EL Palmzuckerwasser (Seite 84)
1 EL Fischsauce
1 EL Limettensaft
3 EL fermentierte Fischsauce
(siehe Info; ersatzweise
5 abgetropfte Anchovis)
100 g gekochte dünne Reismehl-
nudeln
evtl. 1 EL ungesalzene
Erdnüsse

Zubereitungszeit:
20 Min.
Pro Portion ca.
90 kcal

1. Die Papaya schälen und das Fruchtfleisch mit dem Gemüsehobel in feine Streifen hobeln. Die Thai-Bohne waschen und in 2 cm lange Stücke schneiden. Die Tomaten waschen und ohne Stielansätze klein schneiden. Den Knoblauch schälen. Die halbe Bio-Limette in 4 Schnitze schneiden und entkernen. Die Chilis waschen und putzen. Die Tamarindenpaste in 6 EL Wasser einweichen.

2. Knoblauch und Chilis in einem großen Mörser stampfen, dann die Bohnenstücke zugeben und mit dem Stößel nur quetschen. Die Tamarindenpaste mit den Fingern ausdrücken und 1 ½ EL Saft in den Mörser geben. Palmzuckerwasser, Fischsauce und Limettensaft zugeben. Die Limettenschnitze über dem Mörser etwas andrücken und dazugeben. Alle Zutaten mithilfe des Stößels mischen, nicht zu stark stampfen.

3. Die fermentierte Fischsauce mit einem Löffel untermischen. Tomaten und Papayastreifen dazugeben, mit dem Stößel vorsichtig vermischen und nur wenig quetschen. Die Nudeln mit dem Löffel unterheben, die Erdnüsse nach Belieben rösten, darüberstreuen und den Salat auf einer Platte anrichten.

INFO

Fermentierte Fischsauce (nam pla ra) ist unverdünnt ein außerordentliches und meist gewöhnungsbedürftiges Geschmackserlebnis für Nicht-Thailänder. Sie schmeckt extrem intensiv und scharf und wird auch von vielen Thais nur verdünnt verwendet. In der richtigen Dosierung, gemischt mit anderen Zutaten, rundet sie aber den Geschmack von Currys, Saucen und Suppen angenehm ab und ist nicht dominant.
Wer sie nicht verwenden mag, ersetzt sie, wie im Rezept oben, durch eingelegte Anchovis oder durch normale Fischsauce.

PIKANTER GLASNUDELSALAT MIT TINTENFISCH
YAM WUNSEN

1. In einem Topf 1 l Wasser aufkochen, vom Herd nehmen und die Glasnudeln 3 Min. hineinlegen. Herausheben, in ein Sieb gießen, kalt abschrecken, abtropfen lassen und in eine Schüssel geben.

2. Die Shiitakepilze ca. 20 Min. in warmem Wasser einweichen, dann die Stiele entfernen und die Hüte in feine lange Streifen schneiden. Den Knoblauch schälen und fein hacken. Die Tintenfische evtl. auftauen. Waschen und trocken tupfen, Tuben in Ringe schneiden.

3. 2 EL Öl im Wok erhitzen, die Hälfte des Knoblauchs und die Pilze zugeben und unter Rühren ca. 2 Min. anbraten. Hackfleisch und Salz dazugeben und 2 Min. weiterbraten. 5 EL Wasser zugeben, das Ganze nochmals aufkochen und über die Glasnudeln geben.

4. Wieder 2 EL Öl im Wok erhitzen und den restlichen Knoblauch darin anbraten. Die Tintenfische zugeben. Ca. 5 Min. braten, die Austernsauce zugeben und diese Mischung ebenfalls zu den Glasnudeln geben.

5. Die Schalotte schälen, halbieren und in feine Streifen schneiden, die Chilis waschen, putzen und in feine Ringe schneiden. Beides über die Glasnudeln streuen. Limettensaft und Fischsauce zugeben und alle Zutaten vermischen.

6. Die Frühlingszwiebeln waschen, putzen und in 2 cm lange Stücke schneiden. Die Tomate waschen, vom Stielansatz befreien und in 6 Schnitze schneiden. Beides zum Salat geben und vorsichtig unterheben.

7. Den Koriander waschen und trocken schütteln, die Blättchen abzupfen und über den Salat streuen. Der Glasnudelsalat schmeckt frisch zubereitet am besten.

Für 4 Personen

100 g	getrocknete Glasnudeln
8	getrocknete Shiitakepilze
5	Knoblauchzehen
100 g	Tintenfischtuben oder -ringe (frisch oder TK)
4 EL	Öl
100 g	gemischtes Hackfleisch
½ TL	Salz
1 EL	Austernsauce
1	rote Schalotte
5–10	kleine Vogelaugenchilis
4 EL	Limettensaft
1 EL	Fischsauce
2	Frühlingszwiebeln
1	Tomate
½ Bund	Koriandergrün

Zubereitungszeit:
30 Min.
Einweichzeit:
25 Min.
Pro Portion ca.
350 kcal

SUPPEN

SUPPENVIELFALT

Mit heiß und scharf ist die wohl berühmteste Suppe Thailands, die *thom yam gung,* nur ungenau beschrieben. Tatsächlich ist die Suppe ein Muss für jeden Thailandurlauber, denn sie ist zwar sehr scharf, dabei aber auch wunderbar erfrischend und äußerst bekömmlich.

Mit einer Suppe beginnt in Thailand der Tag: So löffelt man schon zum Frühstück gern eine nahrhafte Nudel- oder Reissuppe. In unzähligen kleinen Familien-Nudelshops bekommt man frühmorgens die jeweils spezielle »Suppe des Hauses«. Es kann sein, dass sie schon um elf Uhr vormittags ausverkauft ist und die Küche schließt. Alle Nudelsuppen basieren auf stundenlang gekochten Brühen. Deren einzigartig intensiver Geschmack verbindet sich optimal mit dem Geschmack von frischem Gemüse, Fleisch oder Meeresfrüchten.

Als Zwischenmahlzeit zu jeder Tages- oder Nachtzeit gibt es in Garküchen und kleineren Restaurants dann noch dunkle, eher trübe Brühen mit Entenfleisch oder klare mit Fleisch- oder Fischbällchen, Sojasprossen und Reisnudeln. In die *bami*-Eiernudelsuppe werden meist rot marinierte, leicht süßliche Schweinefleischstreifen gerührt.

REISSUPPEN

Reissuppen *khao thom* kann man frühmorgens oder spätabends verzehren. Dazu kocht man Reis in einer Brühe und gibt nach Belieben klein geschnittenes oder sauer eingelegtes Gemüse, Frühlingszwiebeln, Koriandergrün, Chiliröllchen, gerösteten Knoblauch oder kleine Fischchen, gekochte Fischstücke und Fischbällchen, frittierte Tintenfischstücke sowie verschiedene Fleischbällchen und Salzeier dazu. *Jock* ist ein deftiger, dicker Reisbrei mit langer Garzeit, in dem oft Schweinefleisch, aber auch Innereien mitgekocht werden. Er wird nur morgens gegessen und auf Wunsch mit einem pochierten Ei, klein geschnittenem frischem Ingwer, Chilipulver, Fischsauce oder Reisessig verfeinert.

FEIN ABGESTIMMT

Bei einem traditionellen Thai-Essen mit vielen verschiedenen Gerichten gibt es oft eine dampfende Fleisch-, Fisch- oder Gemüsebrühe mit oder ohne Kokosmilch. Alle Suppen werden mit Pilzen, Gemüse und Kräutern angereichert und gut überlegt auf die Zusammenstellung der anderen Speisen abgestimmt.

HÜHNERBRÜHE
NAM STOCK GAI

Für 2 l Brühe

- 1 kleines Suppenhuhn (ca. 1,5 kg)
- 10 getrocknete Shiitakepilze
- 300 g Rettich
- 2 sauer eingelegte ganze Knoblauchknollen (im Glas)
- 4 Korianderwurzeln
- 2 EL Einlegeflüssigkeit vom Knoblauch
- 1 EL Salz
- 1 TL schwarze Pfefferkörner
- 2 EL helle Sojasauce

Zubereitungszeit:
1 Std.
Garzeit:
1 Std.
Pro Liter ca.
50 kcal

1. Das Suppenhuhn in einen großen Topf geben, mit ca. 2 l kaltem Wasser bedecken und dieses rasch aufkochen. Die Hitze reduzieren und das Huhn ca. 40 Min. bei kleiner Hitze köcheln lassen. Den Schaum gelegentlich abschöpfen.

2. Inzwischen die Shiitakepilze 20 Min. in warmem Wasser einweichen. Den Rettich schälen und in 2 cm dicke Stücke schneiden. Knoblauch schälen und grob hacken, Korianderwurzeln waschen und leicht quetschen.

3. Die ausgedrückten Pilze, Rettich, Knoblauch und Knoblauchwasser, Korianderwurzeln mit Salz, Pfefferkörnern und Sojasauce in die Brühe geben und diese aufkochen lassen. Die Hitze reduzieren und die Brühe bei kleiner Hitze ca. 1 Std. köcheln lassen, den Schaum gelegentlich abschöpfen.

4. Die Brühe durch ein Sieb gießen und abkühlen lassen. Die oberste Fettschicht abschöpfen. Die kalte Brühe bis zur Verwendung im Kühlschrank aufbewahren oder tiefkühlen. Sie ist eine gute Basis für viele Suppen, da ihr Geschmack besonders fein ist.

TIPP

Wenn man sie als Suppe servieren möchte, das Hühnerfleisch klein schneiden und auf Suppenschalen verteilen. Die Brühe durch ein feines Sieb in einen zweiten Topf gießen und nochmals aufkochen, mit weißem Pfeffer oder Salz abschmecken. Heiß über das Hühnerfleisch geben und nach Belieben mit Frühlingszwiebelröllchen, Korianderblättchen und Eierstreifen servieren.

VARIANTE
GEMÜSEBRÜHE

10 getrocknete Shiitakepilze ca. 20 Min. in warmem Wasser einweichen. Den Stiel abschneiden und die Hüte vierteln. **1 kleinen Rettich** schälen und in 5 mm dicke Scheiben schneiden. **200 g Chinakohl** waschen und vierteln. **1 Zwiebel** schälen und in Ringe schneiden. **5 Korianderwurzeln** waschen und wenig quetschen. **5 große Knoblauchzehen** schälen und grob hacken. In einem großen Topf ca. 2 l Wasser aufkochen, ½ TL **schwarze Pfefferkörner,** Knoblauch, Korianderwurzeln, **1 EL Salz** und **2 Prisen Zucker** hineingeben und ca. 5 Min. köcheln lassen. Pilze und Gemüse hineingeben, aufkochen und ca. 1 Std. bei mittlerer Hitze köcheln lassen. Die Brühe durch ein Sieb gießen und abkühlen lassen. Sie schmeckt mit etwas weißem Pfeffer und mit Frühlingszwiebeln bestreut. Isst man die Brühe pur, durch ein feines Tuch seihen.

PIKANTE SUPPE MIT GARNELEN
THOM YAM GUNG

Für 4 Personen
30 g frische junge Galgantwurzel
2 Stängel Zitronengras
50 g frische Pilze (z. B. braune und weiße Champignons)
2 mittelgroße Tomaten
5 kleine Kaffirlimetten-Blätter
500 g rohe Garnelen
½ EL Salz
1 EL Currypaste für *thom-yam*-Suppe (Seite 175)
4 EL Limettensaft
evtl. Fischsauce und Chiliflocken zum Abschmecken
Korianderblättchen zum Bestreuen

Zubereitungszeit:
30 Min.
Pro Portion ca.
100 kcal

1. Die Galgantwurzel sparsam schälen und in ca. 2 mm dünne Scheiben schneiden. Vom Zitronengras die äußeren Blätter entfernen, die inneren Stängel waschen, leicht quetschen und in 2 cm lange Stücke schneiden. Die Pilze putzen, große halbieren. Die Tomaten waschen, vierteln und die Stielansätze entfernen. Die Kaffirlimetten-Blätter waschen und trocken tupfen, vom mittleren Stängel abzupfen. Die Garnelen schälen, den Kopf abtrennen, den Schwanz dranlassen. Den schwarzen Darm am Rücken mit einem spitzen Messer herauslösen.

2. In einem großen Topf 1 l Wasser aufkochen, Galgantscheiben, Zitronengras, Salz und Pilze dazugeben, wieder aufkochen lassen. Garnelen, Currypaste und Tomatenviertel dazugeben, nochmals aufkochen und bei kleiner Hitze ca. 5 Min. köcheln, bis die Garnelen gar sind.

3. Den Topf vom Herd nehmen und den Limettensaft und die Kaffirlimetten-Blätter zur Suppe geben, umrühren. Nach Belieben mit etwas Fischsauce und Chiliflocken abschmecken und mit Korianderblättchen garnieren.

VARIANTE

PIKANTE SUPPE MIT HÜHNERFLEISCH
Für die Brühe **30 g frische junge Galgantwurzel, 2 Stängel Zitronengras, 50 g Pilze, 2 Tomaten** und **5 Kaffirlimetten-Blätter** vorbereiten wie oben beschrieben. **300 g Hähnchenbrustfilet** waschen, trocken tupfen und in ca. 1 x 2 cm große Stücke schneiden. **3 kleine getrocknete rote Chilischoten** im Wok ohne Fett rösten, bis sie duften und Farbe annehmen. Auskühlen lassen und in ca. 2 cm lange Stücke schneiden. 1 l Wasser aufkochen, Galgant, Zitronengras, **½ EL Salz** und die Pilze zugeben, wieder aufkochen lassen. Hähnchen, **1 EL Currypaste für *thom-yam*-Suppe** (Seite 175) und die Tomaten dazugeben, aufkochen und bei kleiner Hitze ca. 5 Min. köcheln, bis das Hähnchen gar ist. Den Topf vom Herd nehmen, **3 ½ EL Limettensaft** und die Limettenblätter zur Suppe geben, umrühren. Mit gerösteten Chilis bestreuen, mit Korianderblättchen oder Frühlingszwiebelröllchen bestreuen.

SUPPE MIT FRISCHEM TOFU UND SPINAT
SOUP TAHU GAP TAM LÜNG

Für 4 Personen
250 g gemischtes Hackfleisch
1 EL Öl
1 Ei
1 EL vegetarische Austernsauce
400 g frischer weißer weicher Tofu (ersatzweise Seidentofu in Scheiben)
200 g junge Spinatblätter
5 Knoblauchzehen
1 l Hühnerbrühe
10 schwarze Pfefferkörner
Salz
frisch gemahlener weißer Pfeffer

Zubereitungszeit:
35 Min.
Pro Portion ca.
330 kcal

1. Das Hackfleisch mit Öl, dem Ei und der Austernsauce gut vermischen und im Kühlschrank 30 Min. zugedeckt ruhen lassen. Den Tofu in 2–3 cm große Stücke schneiden. Die Spinatblätter waschen, trocken schütteln und beiseitestellen. Den Knoblauch schälen und fein hacken.

2. Die Brühe in einem Topf aufkochen, Pfefferkörner und Knoblauch hineingeben. Auf mittlere Hitze reduzieren, den Tofu vorsichtig hineingleiten lassen, nicht umrühren. Das Hackfleisch aus dem Kühlschrank nehmen und mit 2 Teelöffeln kleine Kugeln oder Nocken abstechen. Zum Tofu in die Brühe geben und diese ganz langsam wieder aufkochen lassen. Sobald die Brühe köchelt, die Spinatblätter hineingeben und mit der Suppenkelle vorsichtig in die Brühe drücken.

3. Den Topf vom Herd nehmen und die Suppe ca. 2 Min. ruhen lassen. Zuerst den Tofu vorsichtig aus der Brühe heben und auf Suppenschalen verteilen. Die Fleischbällchen und Spinatblätter dazugeben und mit der Brühe auffüllen. Die Suppe mit Salz und weißem Pfeffer abschmecken.

INFO
In Thailand isst man diese leichte Suppe gerne mit Reis. Im Originalrezept werden statt Spinat die Blätter der Scharlachranke *tham lüng* verwendet.

SUPPE MIT FRISCHEN PILZEN
SOUP HED SODT

1. Die Shiitakepilze und alle anderen Pilze putzen, dabei je nach Sorte die Stiele kürzen oder abschneiden. Große Pilze in feine Streifen schneiden, kleine Pilze ganz lassen. Den Knoblauch schälen und fein hacken.

2. In einem Topf die Brühe aufkochen, Pfefferkörner, Knoblauch, ½ EL Salz und alle Pilze hineingeben. Die Suppe bei kleiner Hitze zugedeckt ca. 10 Min. köcheln lassen.

3. Das Zitronenbasilikum waschen, trocken schütteln und die Blätter abzupfen. Oder die Frühlingszwiebel waschen, putzen und in feine Röllchen schneiden.

4. Sobald die Pilze gar sind, den Topf vom Herd nehmen, nach Belieben die Basilikumblätter zugeben und kurz in die Brühe drücken. Den Deckel wieder auflegen und die Suppe zugedeckt ca. 2 Min. ruhen lassen.

5. Die Suppe auf Suppenteller oder -schalen verteilen. Mit schwarzem Pfeffer und Salz abschmecken. Wer die Frühlingszwiebel verwendet, streut sie jetzt über die Suppe.

Für 4 Personen

5 frische große Shiitakepilze
500 g frische Pilze (z. B. Champignons, Enoki-Pilze, Austernseitlinge)
3 große Knoblauchzehen
1 l Gemüsebrühe
15 schwarze Pfefferkörner
Salz
1 Bund Zitronenbasilikum oder 1 Frühlingszwiebel
evtl. grob gemahlener schwarzer Pfeffer

Zubereitungszeit:
30 Min.
Pro Portion ca.
35 kcal

TIPPS

Die Suppe ist sehr mild. Wer es würziger mag, kann ein etwa 5 cm großes Stück Ingwer, geschält und in Stifte geschnitten, mitgaren. Oder die Suppe mit der folgenden Chilipaste schärfen:

3 getrocknete, lange rote Chilischoten, 3 kleine Schalotten, 3 Knoblauchzehen und **3 Scheiben Galgant** im Wok ohne Fett rösten, bis sie Farbe angenommen haben. Etwas abkühlen lassen. Schalotten und Knoblauch schälen und in Stücke schneiden. Zusammen mit den gerösteten Chilischoten, Galgant, ½ **TL Garnelenpaste** und etwas **Salz** im Mörser zu einer glatten Paste verarbeiten.

Bevor das Basilikum in die Suppe kommt, etwa 1 EL der Paste (nach Geschmack mehr oder weniger) in die Suppe geben und kurz aufkochen. Mit Basilikum, Korianderblättchen oder Frühlingszwiebeln servieren.

RAMBUTAN

SUPPE MIT GEFÜLLTEN ANANASRINGEN (SEITE 118)

SUPPE MIT GEFÜLLTEN ANANASRINGEN
SOUP SAPPAROT

Für 4 Personen
5 Knoblauchzehen
200 g Schweinehackfleisch
2 EL vegetarische Austernsauce
1 EL Öl
1 Ei
frisch gemahlener weißer Pfeffer
1 TL Zucker
1 große reife Ananas
1 ½ l Hühnerbrühe
10 schwarze Pfefferkörner
3–5 Frühlingszwiebeln
Chiliflocken (Seite 86)

Zubereitungszeit:
50 Min.
Pro Portion ca.
290 kcal

1. Die Knoblauchzehen schälen und fein hacken. Mit dem Hackfleisch, der Austernsauce, dem Öl, dem Ei, etwas weißem Pfeffer und dem Zucker im Mixer zu einer feinen Farce mixen und ca. 10 Min. kalt stellen.

2. Die Ananas schälen. Aus dem Fruchtfleisch 4 Scheiben (3–4 cm dick) schneiden, den Strunk aus der Mitte herausschneiden. Die Hackfleischfarce in die Mitte der Ananasringe geben, aus der restlichen Füllung Nocken formen. Die Brühe aufkochen und mit den Pfefferkörnern 5 Min. sprudelnd kochen.

3. Ananasringe und Nocken in die Brühe gleiten lassen und bei kleiner Hitze ca. 20 Min. köcheln lassen. Die Frühlingszwiebeln waschen, putzen und in 2 cm lange Stücke schneiden. Die gefüllten Ananasringe auf Suppentassen verteilen, Brühe und Fleischbällchen dazugeben und mit den Frühlingszwiebeln bestreuen. Mit wenig Chiliflocken abschmecken.

VARIANTE
SUPPE MIT GEFÜLLTEN GURKENSTÜCKEN
4 getrocknete Shiitakepilze ca. 20 Min. in warmem Wasser einweichen, danach Stiele abschneiden und Hüte halbieren. **5 g getrocknete Glasnudeln** 2 Min. in heißem Wasser einweichen, in 5 cm lange Stücke schneiden und ausdrücken. **3 Knoblauchzehen** schälen und fein hacken. **300 g gemischtes Hackfleisch** mit den Glasnudeln, **1 Ei,** Knoblauch, **1 EL Öl, 1 EL Austernsauce** und ½ **TL Zucker** in einer Schüssel vermischen, bis die Masse bindet. Ca. 10 Min. zugedeckt in den Kühlschrank stellen. **2 Salatgurken** schälen, quer in ca. 4 cm dicke Stücke schneiden und aushöhlen. **5 Knoblauchzehen** schälen und fein hacken. **1 ½ l Hühnerbrühe** aufkochen, 10 schwarze Pfefferkörner, Shiitakepilze und den gehackten Knoblauch hineingeben. Die Hitze reduzieren und alles ca. 10 Min. köcheln lassen. Die Gurken mit der Farce füllen und in die heiße Brühe geben. Einmal aufkochen, dann bei kleiner Hitze mit halb aufgelegtem Deckel ca. 20 Min. köcheln lassen. Inzwischen **1 Stange chinesischen Schnittsellerie** und **1 Frühlingszwiebel** waschen, putzen und klein schneiden. Nach Belieben ½ **Bund Koriandergrün** waschen und trocken schütteln, Blättchen abzupfen. Die Gurkenstücke in Suppenschalen legen. Pilzstücke dazugeben, mit Brühe auffüllen, mit Frühlingszwiebeln, Sellerie und Koriander bestreuen. Mit **weißem Pfeffer** abschmecken.

SUPPE MIT GEFÜLLTEN RAMBUTAN
SOUP LUG NGO

1. Die Glasnudeln 2 Min. in heißem Wasser einweichen, mit einer Schere in 5 cm lange Stücke schneiden und ausdrücken. Mit Hackfleisch, Austernsauce, Sojasauce, Ei, Zucker, Öl und etwas Pfeffer in einer Schüssel gut vermischen, bis die Masse bindet. Ca. 10 Min. zugedeckt in den Kühlschrank stellen.

2. Inzwischen die Rambutan schälen, mit einem scharfen Messer leicht einschneiden und den Kern herauslösen. Ebenfalls in den Kühlschrank stellen.

3. Die Shiitakepilze mindestens 20 Min. in warmem Wasser einweichen, Stiel abschneiden und Hüte vierteln. Knoblauch schälen und fein hacken.

4. In einem großen Topf die Brühe aufkochen, Pilze und Knoblauch darin 5 Min. köcheln lassen. Hackfleischfarce und Rambutan aus dem Kühlschrank holen. Die Farce mit einem Löffel in die Früchte füllen, übrige Farce zu Klößchen formen.

5. Gefüllte Rambutan und die Fleischklößchen vorsichtig in die Brühe gleiten lassen und bei kleiner Hitze zugedeckt ca. 30 Min. sanft köcheln lassen.

6. Frühlingszwiebeln waschen, putzen und in feine Röllchen schneiden. Die Rambutan mit dem Schaumlöffel in Suppenschalen legen, Brühe, Pilze und Fleischklößchen zugeben und die Frühlingszwiebelröllchen aufstreuen. Mit etwas weißem Pfeffer abschmecken.

Für 4 Personen
5 g getrocknete Glasnudeln
200 g gemischtes Hackfleisch
1 EL vegetarische Austernsauce
1 EL helle Sojasauce
1 Ei
1 TL Zucker
1 EL Öl
frisch gemahlener weißer Pfeffer
25 frische große Rambutan
2 getrocknete Shiitakepilze
3 Knoblauchzehen
1½ l Hühnerbrühe
3 Frühlingszwiebeln

Zubereitungszeit: 50 Min.
Garzeit: 30 Min.
Pro Portion ca. 285 kcal

SUPPE MIT GEFÜLLTEN TEIGTASCHEN
SOUP GIAUW

Für 4 Personen
Für die Teigtaschen:
4 Knoblauchzehen
200 g Schweinehackfleisch
1 Ei
2 EL Öl
½ TL Salz
1 TL Zucker
150 g TK-Wan-Tan-Teigblätter
(für Suppe)
Für den frittierten Knoblauch:
10 Knoblauchzehen
2 EL Öl
Für die Suppe:
4 getrocknete Shiitakepilze
1 große Möhre
3 Knoblauchzehen
1 Stange chinesischer Schnittsellerie mit Wurzel
evtl. 1 Frühlingszwiebel
1 ½ l Hühnerbrühe
15 schwarze Pfefferkörner
evtl. frisch gemahlener weißer
Pfeffer

Zubereitungszeit:
1 Std.
Pro Portion ca.
425 kcal

1. Für die Teigtaschen den Knoblauch schälen und pressen. Das Hackfleisch mit dem Ei, 1 EL Öl, Salz, Knoblauch und Zucker in einer Schüssel gut mischen, bis die Zutaten binden.

2. Die Teigblätter einzeln in die Hand nehmen und eine teelöffelgroße Portion Füllung in die Mitte geben, den Teig mit den Fingern zusammenfassen und zu einem Beutel drehen. Teigtaschen auf eine Platte legen.

3. In einem Topf 2 l Wasser aufkochen. Die Hitze reduzieren, die Teigtaschen hineingeben und 3–4 Min. garen. Sobald sie an der Oberfläche schwimmen, mit einer Schaumkelle herausheben und in einer Schüssel mit kaltem Wasser kurz abschrecken. Herausheben, abtropfen lassen und auf eine mit etwas Öl bepinselte Platte legen.

4. Für den frittierten Knoblauch die Knoblauchzehen schälen und im Mörser gut stampfen. Das Öl im Wok sehr stark erhitzen, den Knoblauch hineingeben und knusprig goldbraun braten. Knoblauch und Öl in ein Schälchen füllen und beiseitestellen.

5. Für die Suppe die getrockneten Shiitakepilze mindestens 20 Min. in warmem Wasser einweichen. Stiel abschneiden, Hüte halbieren. Die Möhre waschen, schälen und in 2 cm dicke Scheiben schneiden. Knoblauch schälen und fein hacken. Sellerie und evtl. Frühlingszwiebel waschen, putzen, die Wurzeln abschneiden und ein wenig quetschen. Beide Stängel in feine Röllchen schneiden und beiseitestellen.

6. In einem Topf die Brühe aufkochen, Pfefferkörner, Knoblauch, Selleriewurzel, Pilze und Möhre hineingeben und bei kleiner Hitze ca. 20 Min. köcheln, bis Möhre und Pilze gar sind.

7. Die Teigtaschen auf Suppentassen verteilen, dann Pilze und Möhre dazugeben und mit der Brühe auffüllen. Sellerie und Frühlingszwiebel darüberstreuen und je ½ TL knusprigen Knoblauch obenauf geben. Nach Belieben mit fein gemahlenem weißem Pfeffer abschmecken.

SUPPE MIT GEFÜLLTEN TINTENFISCHEN
SOUP PLA MÜK YAT SAI

1. Die Tintenfischtuben waschen und trocken tupfen. Mit einem scharfen Messer Kopf und Fangarme abschneiden und am anderen Ende der Tintenfischtuben einen kleinen Schlitz einschneiden. Alles kühl stellen.

2. Die Glasnudeln in heißem Wasser 5 Min. einweichen, abtropfen und mit der Schere in 3 cm lange Stücke schneiden. Den Knoblauch schälen und fein hacken. Hackfleisch, Glasnudeln, Zucker, Öl, Knoblauch, Austernsauce und das Ei in eine Schüssel geben und mit den Händen gut vermischen, bis eine weiche klebrige Masse entsteht. Diese Füllung in die Tintenfischtuben geben. Die Öffnung mit den Fangarmen zustöpseln; falls das nicht hält, mit einem Holzspieß feststecken. Gefüllte Tintenfische ca. 30 Min. zugedeckt in den Kühlschrank legen.

3. Die Shiitakepilze mindestens 20 Min. in warmem Wasser einweichen, Stiele abschneiden und halbieren. Den Rettich schälen und in 4 ca. 1 cm dicke Scheiben schneiden.

4. Die Brühe aufkochen, Pfefferkörner, Rettich und die Pilze hineingeben und zugedeckt bei kleiner Hitze ca. 20 Min. köcheln lassen.

5. Die Tintenfische aus dem Kühlschrank nehmen und vorsichtig in die Brühe gleiten lassen. Nicht umrühren. Die Tintenfische zugedeckt bei mittlerer Hitze ca. 10 Min. köcheln.

6. Koriander waschen, trocken schütteln und die Blättchen abzupfen. Frühlingszwiebel waschen, putzen und in 1 cm lange Stücke schneiden.

7. Tintenfische vorsichtig aus dem Topf heben und in Suppentassen geben. Pilze und Rettichstücke dazugeben und mit der Brühe auffüllen. Koriander und Frühlingszwiebel darüberstreuen und die Suppe mit Salz und weißem Pfeffer abschmecken.

Für 4 Personen

4	frische Tintenfischtuben (je ca. 125 g)
10 g	getrocknete Glasnudeln
3	Knoblauchzehen
200 g	Schweinehackfleisch
½ EL	Zucker
1 EL	Öl
1 ½ EL	Austernsauce
1	Ei
4	getrocknete Shiitakepilze
1	Rettich
1 l	Hühnerbrühe
5	schwarze Pfefferkörner
½ Bund	Koriandergrün
1	Frühlingszwiebel
	Salz
	frisch gemahlener weißer Pfeffer

Außerdem:

4	Holzspieße

Zubereitungszeit:
1 Std.
Pro Portion ca.
330 kcal

KOKOSNÜSSE

KOKOSPALMEN PRÄGEN DEN CHARAKTER DER LANDSCHAFT ZENTRAL-THAILANDS UND DES SÜDENS. HIER SÄUMEN SIE DIE LANGEN, SILBER-WEISSEN SANDSTRÄNDE. WIE IN FAST JEDEM LAND, IN DEM PALMEN WACHSEN, SPIELEN SIE WIRTSCHAFTLICH EINE WICHTIGE ROLLE. VERWENDET WERDEN HOLZ UND PALMWEDEL ALS BAUSTOFFE UND DIE FRÜCHTE FÜR DIE KÜCHE.

Die Früchte liefern Kokosmilch und Kokoscreme, die aus dem zerkleinerten Fruchtfleisch reifer Kokosnüsse hergestellt werden. Junge Kokosfrüchte hingegen enthalten das erfrischende und nahrhafte Kokoswasser. Zur Herstellung von Kokosmilch wird eine Nuss mit einem Beil geöffnet, das Fleisch herausgekratzt, fein geraspelt und in einem Topf mit kochendem Wasser übergossen. Nach ca. 10 Minuten wird die Flüssigkeit abgeseiht und gut ausgedrückt. Fertig ist die dicke Kokosmilch oder Kokoscreme. Sie wird häufig als Zutat für Currypasten und Süßigkeiten verwendet. Wird der Vorgang noch einmal mit frischem Wasser wiederholt, erhält man die dünnere Kokosmilch.

Heute kann man sich viel Arbeit ersparen, indem man zu Kokosmilch aus dem Tetrapak oder der Dose greift. Diese Milch ist pasteurisiert und homogenisiert und lange lagerfähig. Öffnet man die Dose, kann man die oberste dicke Schicht, die Kokoscreme, abheben und beispielsweise unter Zugabe von wenig Öl zum Anbraten von Currypaste in den Wok geben. Wird die Milch für eine Suppe benötigt, sollte die Dose vorher kräftig geschüttelt werden, um eine homogene Flüssigkeit zu erhalten. Auch aus reiner Kokoscreme lässt sich eine Milch für Suppen herstellen, indem man 250 Milliliter Kokoscreme mit 150 Milliliter Wasser mischt.

Aus dem gepressten frischen Kokosnussfleisch von alten Kokosnüssen wird Kokosöl gewonnen. Es ist aufgrund seines besonderen Fettsäuremusters herzschützend und verdauungsanregend und zugleich ein vorzügliches Hautpflegemittel. Aus den Kokosnuss-Schalen schließlich werden Essschalen und Dekorationsgegenstände hergestellt. Reste sind ein gutes und fein duftendes Brenn- und Grillmaterial. Nicht umsonst gilt die Kokosnuss im Hinduismus als heilige Pflanze und ihr Öl ist eine kostbare Opfergabe.

REISSUPPE MIT FLEISCHBÄLLCHEN
KHAO THOM MUH

Für 4 Personen
200 g Schweinehackfleisch
4 EL Öl
1 EL helle Sojasauce
½ TL Tapiokamehl
4 getrocknete Shiitakepilze
10 große Knoblauchzehen
1 kleiner Rettich
1 Bund Koriandergrün mit Wurzel
1 EL Salz
400 g gekochter Jasminreis
(Seite 145)
evtl. 1 Frühlingszwiebel
evtl. frisch gemahlener weißer
Pfeffer
Sojasauce zum Abschmecken

Zubereitungszeit:
50 Min.
Kühlzeit:
30 Min.
Pro Portion ca.
385 kcal

1. Das Hackfleisch mit 1 EL Öl, Sojasauce und dem Tapiokamehl in einer Schüssel gut vermischen und ca. 30 Min. zugedeckt kühl stellen.

2. Die Shiitakepilze ca. 20 Min. in warmem Wasser einweichen, den Knoblauch schälen und im Mörser fein stampfen. Die übrigen 3 EL Öl im Wok stark erhitzen und den Knoblauch darin knusprig goldbraun braten. Beides in ein Schälchen füllen und beiseitestellen.

3. Den Rettich waschen, schälen und in winzig kleine Würfel schneiden. Den Koriander waschen, trocken schütteln, die Wurzeln abschneiden, klein schneiden und quetschen. Blättchen abzupfen, beides beiseitestellen. Die Pilze abgießen, die Stiele abschneiden und die Hüte in feine Streifen schneiden.

4. In einem Topf 1 l Wasser aufkochen, Salz, Korianderwurzeln, Rettichstücke und Pilzstreifen hineingeben und bei mittlerer Hitze zugedeckt ca. 5 Min. kochen.

5. Das Hackfleisch aus dem Kühlschrank holen und mit einem kleinen Löffel Nocken abstechen. In die heiße Brühe gleiten lassen. Den Reis zugeben, den Deckel auflegen und beides bei kleiner Hitze ca. 10 Min. köcheln lassen.

6. Die Frühlingszwiebel nach Belieben waschen, putzen und in feine Röllchen schneiden.

7. Die Reissuppe und die Fleischklößchen auf Suppentassen verteilen, mit Frühlingszwiebelröllchen, Korianderblättchen und dem knusprigen Knoblauch bestreuen. Nach Belieben mit weißem Pfeffer und Sojasauce abschmecken.

TIPP
In Thailand reicht man zur Reissuppe zum individuellen Nachwürzen vier Gewürze: getrocknete, geröstete Chiliflocken, Fisch- oder Sojasauce, Zucker und in Reisessig eingelegte, fein geschnittene frische Chiliringe.

Für 4 Personen
100 g Brokkoli
100 g Blumenkohl
5 frische Babymaiskolben
1 Möhre
2 lange Thai-Bohnen
100 g Chinakohl
4–5 frische Shiitakepilze
3 große Knoblauchzehen
1 l Gemüsebrühe
10 schwarze Pfefferkörner
3 Frühlingszwiebeln
3 Stangen chinesischer
Schnittsellerie
evtl. frisch gemahlener weißer
Pfeffer

Zubereitungszeit:
45 Min.
Pro Portion ca.
75 kcal

SUPPE MIT FRISCHEM GEMÜSE
SOUP PAK SODT

1. Alle Gemüse waschen und gut abtropfen lassen. Brokkoli und Blumenkohl in kleine Röschen teilen. Babymaiskolben quer halbieren und dann längs in Streifen schneiden. Die Möhre schälen und in ca. 5 mm dicke Scheiben schneiden, Thai-Bohnen in 2 cm lange Stücke, und Chinakohl in 2 cm breite Streifen schneiden. Pilze putzen, Stiele entfernen und Hüte vierteln. Den Knoblauch schälen und fein hacken.

2. In einem Topf die Brühe aufkochen, Pfefferkörner und Knoblauch hineingeben, umrühren und ca. 2 Min. kochen lassen. Dann alle Gemüse und die Pilze dazugeben und die Brühe aufkochen lassen. Die Hitze reduzieren und alles zugedeckt bei kleiner Hitze 20–30 Min. köcheln lassen.

3. Die Frühlingszwiebeln und den Sellerie waschen, putzen und in kleine Stücke schneiden.

4. Die Brühe mit dem Gemüse auf Suppenschüsseln verteilen. Mit Frühlingszwiebeln und Sellerie bestreuen. Nach Belieben mit weißem Pfeffer abschmecken.

Für 4 Personen
4 getrocknete Shiitakepilze
2 große Kartoffeln (ca. 400 g)
5 große Knoblauchzehen
2 große Zwiebeln
3 große reife Tomaten
1 ½ l Gemüsebrühe
10 schwarze Pfefferkörner
½ Bund Petersilie oder Koriandergrün
evtl. frisch gemahlener weißer
Pfeffer

Zubereitungszeit:
40 Min.
Pro Portion ca.
110 kcal

SUPPE MIT KARTOFFELN UND TOMATEN
SOUP MAN FARANG

1. Die Shiitakepilze mindestens 20 Min. in warmem Wasser einweichen. Den Stiel abschneiden und die Hüte nach Belieben vierteln. Die Kartoffeln schälen und in 2 cm dicke Scheiben schneiden. Knoblauch schälen und grob hacken. Zwiebeln schälen und in Ringe schneiden. Tomaten waschen.

2. In einem Topf die Brühe aufkochen, Pfefferkörner, Knoblauch, Zwiebelringe, Kartoffelscheiben, Pilze und die ganzen Tomaten dazugeben. Bei kleiner Hitze langsam aufkochen lassen. Sobald die Haut von den Tomaten platzt und sich ablöst, die Haut mit dem Schaumlöffel aus der Suppe holen. Die Brühe ca. 15 Min. weiterköcheln, bis die Kartoffeln gar sind.

3. Petersilie oder Koriander waschen, trocken schütteln und fein schneiden. Die Kartoffelscheiben aus der Brühe heben und auf Suppenschalen verteilen, mit Brühe auffüllen und mit Petersilie oder Koriander bestreuen. Nach Belieben mit weißem Pfeffer abschmecken.

SUPPE MIT KARTOFFELN UND TOMATEN

SUPPE MIT EIERSTREIFEN
SOUP KHAI SEN

1. Die Frühlingszwiebeln waschen und putzen. 3 Frühlingszwiebeln in ca. 3 cm lange Stücke schneiden, die übrigen 2 Frühlingszwiebeln in feine Röllchen schneiden. Den Koriander waschen und trocken schütteln, die Wurzeln abschneiden, quetschen und für die Brühe beiseitelegen. Die Blättchen abzupfen und beiseitestellen.

2. Die Eier mit der Sojasauce und je ca. 10 g Korianderblättchen und Frühlingszwiebelröllchen in einer Schüssel mit dem Schneebesen gut aufschlagen. Die Butter in einer Pfanne zerlassen. Die Eiermasse hineingeben und bei kleiner Hitze auf beiden Seiten goldgelb braten. Das Omelett auf einen Teller gleiten und auskühlen lassen. Mit einem scharfen Messer in feine Streifen schneiden und auf vier große Suppentassen verteilen.

3. Die Shiitakepilze in warmem Wasser mindestens 20 Min. einweichen, Stiele abschneiden und Hüte vierteln. Die Möhre waschen, schälen und in 4 ca. 1 cm dicke Scheiben schneiden. Knoblauch schälen und fein hacken.

4. In einem Topf die Brühe aufkochen. Pfefferkörner, Knoblauch, Korianderwurzel, Shiitakepilze und Möhre hineingeben. Alles verrühren und zugedeckt bei kleiner Hitze ca. 20 Min. köcheln.

5. Zuerst Möhre und Pilze aus der Brühe heben und auf die Eierstreifen in den Suppentassen verteilen. Mit der Brühe auffüllen und mit den Frühlingszwiebelstücken bestreuen. Nach Belieben mit Sojasauce und etwas weißem Pfeffer abschmecken.

Für 4 Personen
5 Frühlingszwiebeln
1 Bund Koriandergrün mit Wurzeln
4 Eier
2 TL helle Sojasauce
1 EL Butter
4 getrocknete Shiitakepilze
1 Möhre
3 Knoblauchzehen
1 l Gemüsebrühe
15 schwarze Pfefferkörner
evtl. frisch gemahlener weißer Pfeffer

Zubereitungszeit:
40 Min.
Pro Portion ca.
135 kcal

KOKOSSUPPE MIT HÄHNCHENBRUSTFILET
THOM KHA GAI

Für 4 Personen

60 g	frische junge Galgantwurzel
2	Stängel Zitronengras
250 g	Hähnchenbrustfilet
4	kleine getrocknete rote Chilischoten
4	getrocknete Shiitakepilze oder 50 g frische Pilze (z. B. Champignons, Austern- oder Strohpilze)
1 l	Kokosmilch
1 EL	Salz
4	Kaffirlimetten-Blätter
2 ½ EL	Limettensaft
	evtl. Korianderblättchen zum Bestreuen

Zubereitungszeit:
30 Min.
Pro Portion ca.
515 kcal

1. Die Galgantwurzel schälen und in 2 mm dünne Scheiben schneiden. Vom Zitronengras die äußeren Blätter entfernen, innere Stängel waschen, leicht quetschen und in 2 cm lange Stücke schneiden. Hähnchenbrustfilet waschen, trocken tupfen und in kleine Würfel oder schmale Streifen schneiden.

2. Die getrockneten Chilischoten im Wok ohne Fett unter Rühren braun rösten, auskühlen lassen und in 1 cm lange Stücke schneiden. Die getrockneten Shiitakepilze mindestens 20 Min. in warmem Wasser einweichen, Stiele abschneiden und die Hüte vierteln. Oder frische Pilze putzen und in mundgerechte Stücke schneiden.

3. Die Kokosmilch in einem Topf unter gelegentlichem Rühren aufkochen. Galgant, Zitronengras, Pilze und Salz hineingeben und die Kokosmilch wieder aufkochen lassen. Das Hühnerfleisch zugeben, ohne Rühren nochmals aufkochen. Die Hitze reduzieren und die Suppe bei kleiner Hitze ca. 5 Min. unter gelegentlichem Rühren köcheln lassen.

4. Die Kaffirlimetten-Blätter waschen, trocken tupfen und vom mittleren Stängel abzupfen. Die Suppe vom Herd nehmen, den Limettensaft und die Limettenblätter dazugeben und nochmals umrühren. Die Suppe auf Suppenschalen verteilen oder in eine große Schüssel umfüllen. Mit den gerösteten Chilischoten und nach Belieben mit Korianderblättchen bestreuen.

TIPPS
Wenn Sie die Suppe als Vorspeise servieren, reicht die Menge für 6 Personen. Anstelle von Hähnchenbrustfilet können Sie auch 400 g küchenfertige rohe Garnelen in die Suppe geben.

KOKOSSUPPE MIT PILZEN
THOM GATI SAI HED SOT

1. Die Pilze putzen, je nach Sorte die Stiele abschneiden und entfernen. Pilze in mundgerechte Stücke schneiden. Die Frühlingszwiebeln waschen, putzen und in 1 cm lange Stücke schneiden. Oder das Zitronenbasilikum waschen, trocken schütteln und die Blätter abzupfen.

2. Die Kokosmilch und die Brühe in einem Topf bei mittlerer Hitze unter ständigem Rühren langsam aufkochen. 1 TL Salz und die Pilze hineingeben und die Suppe bei kleiner Hitze unter gelegentlichem Rühren ca. 10 Min. köcheln lassen, bis die Pilze gar sind.

3. Die Suppe auf Suppenschalen verteilen und mit Frühlingszwiebeln oder Zitronenbasilikum bestreuen, nach Belieben mit Limettensaft, Salz und schwarzem Pfeffer abschmecken.

TIPPS
Die Kokossuppe schmeckt statt mit Pilzen auch mit Kürbiswürfeln sehr gut. Dann bestreut man sie am besten mit Zitronenbasilikum. Oder Sie probieren in Scheiben geschnittene Luffa-Gurke und bestreuen die Suppe mit Frühlingszwiebelringen.
Fleisch passt nicht in diese Suppe, sehr fein sind aber auch Tintenfischringe oder festfleischige weiße Fischstücke, die man mit Zitronenbasilikumblättern und grob gemahlenem schwarzem Pfeffer bestreut.

Für 4 Personen

500 g	frische Pilze (z. B. Champignons, Strohpilze, Pfifferlinge, Austernpilze)
3	Frühlingszwiebeln oder einige Blätter Zitronenbasilikum
600 ml	Kokosmilch
200 ml	Gemüsebrühe
1–2 TL	Salz
	Limettensaft
	grob gemahlener schwarzer Pfeffer

Zubereitungszeit:
20 Min.
Pro Portion ca.
280 kcal

REIS UND NUDELN

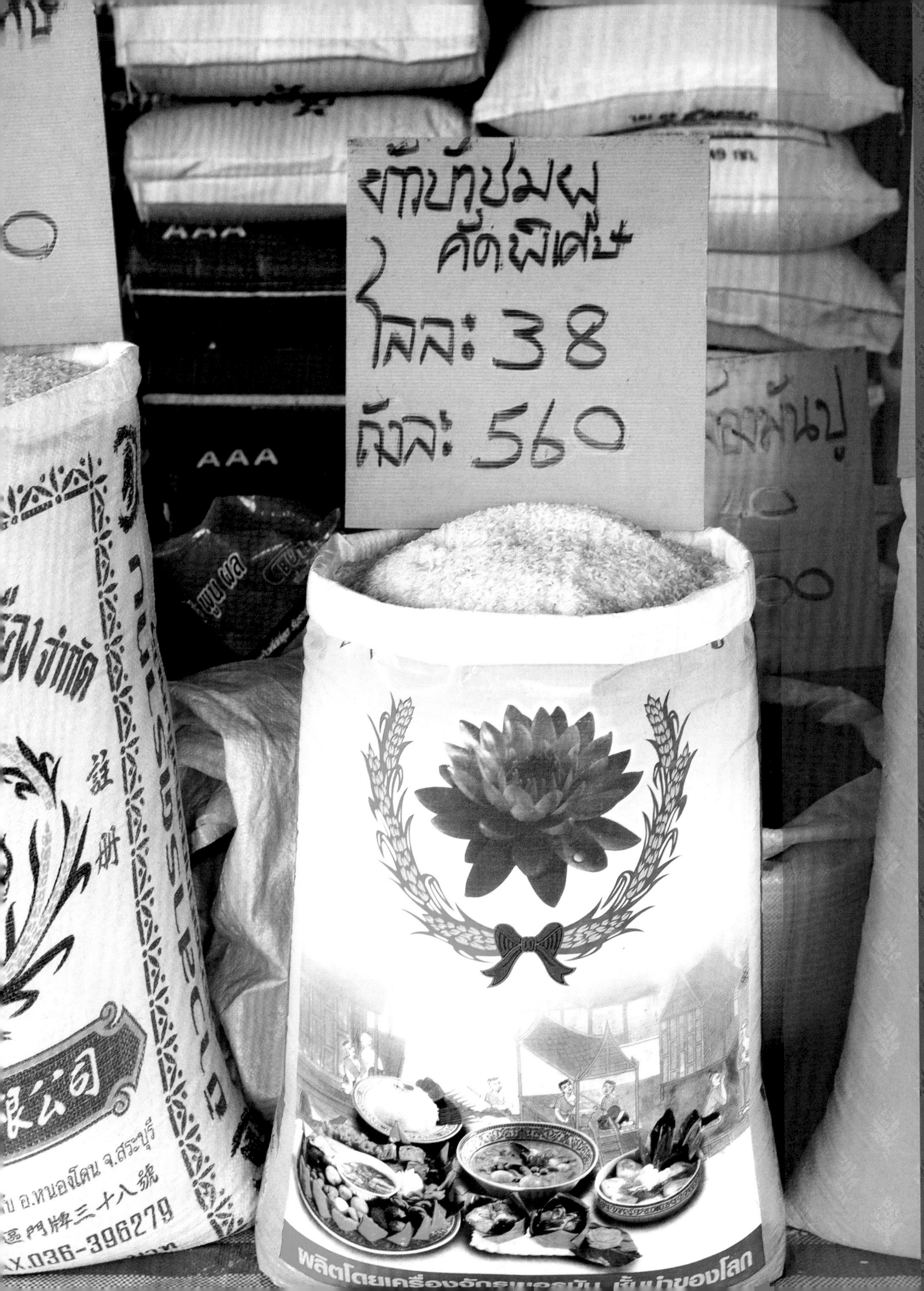
38
560
AAA
AAA
อ.หนองโดน จ.สระบุรี
036-396279

REIS – HORT DER GUTEN GEISTER

In jedem Reiskorn wohnen nach dem buddhistischen Glauben göttliche Kräfte und gute Geister – weshalb auch kein Reiskorn verschwendet werden darf. Ein Tag ohne Reis ist für einen Thai nicht vorstellbar. Deshalb sprechen die Thais auch nie nur vom »Essen«, sondern immer vom »Reis essen« *(gin khao)*.

Reis ist das wichtigste Grundnahrungsmittel Thailands. Viele Feste und Feiern drehen sich daher um Aussaat und Ernte und die Bitte um Regen. Das bedeutendste Fest zum Beginn der Reisaussaat im Mai ist die Königliche Zeremonie des Pflügens – *rak na* – vor dem Großen Palast in Bangkok in Anwesenheit des Monarchen. Dieses uralte Ritual wird mit großem Pomp und in historischen Gewändern begangen.

Ein Paar weißer Ochsen vor einem reich verzierten, blumengeschmückten Pflug zieht Furchen in die Freifläche vor dem Königspalast, in die anschließend junge Mädchen von Brahmanen-Priestern geweihte Reiskörner säen. Nach getaner Arbeit werden den Ochsen sieben Dinge vorgesetzt: Reis, Mais, Sesam, Heu, Bohnen, Wasser und Reiswhisky. Der königliche Hofastrologe deutet dann anhand der Wahl, die die Tiere treffen, den Erfolg der kommenden Reisernte und die Regenmenge im künftigen Jahr.

REISANBAU

Der Reisanbau beherrscht die Landschaft des zentralen Tieflandes. Hier sieht man fast immer Menschen bei der Arbeit. Manche pflügen mit Wasserbüffeln die Felder, die meisten nutzen dazu jedoch mittlerweile kleine Traktoren, die scherzhaft »Japanische Wasserbüffel« genannt werden. Andere setzen Reispflanzen um oder bringen mit Sicheln Halm für Halm die Ernte ein. In den Mühlen am Chao Phraya wird der Reis dann bearbeitet, auf hölzerne Reisbarken verladen und flussabwärts verschifft.

Der thailändische Reis ist von ausgezeichneter Qualität und gehört zu den wichtigsten Exportgütern des Landes. Der beste Teil der Ernte gelangt als Duftreis oder Jasminreis in den Handel, auf Thailändisch *khao hom mali* »nach Jasmin duftender Reis«.

ZUBEREITUNG VON REIS

In Thailand wird Jasminreis immer ohne Salz zubereitet, da die Beilagen intensiv gewürzt sind. Er ist perfekt, wenn er beim Schöpfen locker vom Löffel fällt. Sollte etwas von der Reisportion des Tages übrig bleiben, wird

diese am nächsten Tag mit Öl und Knoblauch, vielleicht auch mit einem Ei gebraten *(khao pad)* und mit Gemüse und Kräutern gewürzt.

Im Norden und Nordosten des Landes wird Klebreis angebaut. *Khao niauw* wird meistens in einem Bambuskörbchen serviert und kann warm oder kalt gegessen werden. Dazu nimmt man mit dem Daumen und den Fingerspitzen der rechten Hand etwas vom Reis, formt daraus ein Bällchen und tunkt es in die Beilage. Viele berühmte Thai-Desserts werden aus Klebreis zubereitet.

REISNUDELN

Aus Reismehl werden Nudeln hergestellt, das zweitwichtigste Grundnahrungsmittel in Thailand. Die weißen Reisnudeln *(guitiauw),* deren Form von dünnen Fäden bis zu flachen Bandnudeln variiert, stammen ursprünglich aus China. Sie sind hervorragend für schnelle Mahlzeiten geeignet und kommen oft mittags auf den Tisch.

GRUNDREZEPT JASMINREIS

Für 4 Personen 300 g Jasminreis in eine Schüssel geben, mit Wasser bedecken und waschen. Das milchige Wasser abgießen und den Vorgang so oft wiederholen, bis das Wasser klar bleibt. Den Reis in einen Topf geben und mit etwa 700 ml kaltem Wasser bedecken. Jasminreis wird ohne Salz gegart. Den Topf mit einem gut schließenden Deckel zudecken und das Wasser aufkochen lassen. Sobald der Reis kocht, den Herd auf die kleinste Stufe stellen und den Reis in etwa 25 Min. ausquellen lassen. Den Topf vom Herd nehmen und den Reis noch 5 Min. zugedeckt nachgaren lassen. Sollte er dann noch nicht weich sein, noch einmal 5 Min. nachgaren lassen. Die Menge ergibt etwa 1 kg gekochten Reis.

Zum Aromatisieren kann man Gewürze beigeben, zum Beispiel einen Stängel gequetschtes Zitronengras, zusammengeknotete Pandanusblätter oder ein Stück Ingwer. Zitronengras und Pandanusblätter vor dem Servieren entfernen.

GRUNDREZEPT KLEBREIS

Für 4 Personen 500 g Klebreis mindestens 4 Stunden, besser über Nacht in Wasser einweichen. Dann das Wasser abgießen.

Einen großen Topf etwa ein Viertel hoch mit Wasser füllen und das Wasser aufkochen. Den eingeweichten Klebreis auf einen geeigneten Dämpfeinsatz aus Bambus oder Metall geben und über dem Wasserdampf zugedeckt in 15–20 Min. garen. Der Reis darf nicht mit dem Wasser in Berührung kommen. Nach 20 Min. probieren, ob der Reis weich ist. Wenn er noch nicht weich ist, den Reis noch einige Min. weitergaren. Den Reis bis zum Anrichten gut zudecken, da er sonst leicht hart wird. Warmer Klebreis ist wunderbar weich und klebt schön zusammen.

GEBRATENER REIS MIT GARNELENPASTE
KHAO PAD KAPI

1. Die Vogelaugenchilis waschen, putzen und in feine Ringe schneiden. Schalotten schälen, halbieren und in feine Streifen schneiden. Die Mango schälen und das Fruchtfleisch mit dem Sparschäler in feine Streifen schneiden. Die Zutaten in separate Schälchen füllen und zugedeckt beiseitestellen.

2. Die Eier mit Salz verquirlen. Die Butter in einer Pfanne erhitzen, die Eiermasse hineingeben und auf jeder Seite 2–3 Min. braten. Das Omelett in feine Streifen schneiden, in ein Schälchen füllen und zugedeckt beiseitestellen.

3. Den Knoblauch schälen und fein hacken. Das Öl im Wok erhitzen, den Knoblauch darin anbraten. Die Speckstücke zugeben und beides glasig anbraten. Die Garnelenpaste, Salz und den Palmzucker hinzufügen und alles mit dem Holzspatel gut umrühren. Braten, bis der Speck knusprig ist.

4. 100 ml Wasser zugeben und unter Rühren aufkochen. Die Hitze reduzieren und alles 5–10 Min. weiterbraten, bis sich eine klebrige Flüssigkeit gebildet hat. Die Speckstücke herausfischen und in ein Schälchen geben. Den gekochten Jasminreis in der verbliebenen Bratflüssigkeit unter Rühren braten, bis er die Flüssigkeit ganz aufgesaugt hat.

5. Den Reis mit einigen Schalottenstreifen in eine Schüssel geben und die Schälchen dazustellen. Jeder nimmt sich nach Lust und Laune.

KNUSPRIGER SCHWEINESPECK
In einem Topf 1 l Wasser erhitzen, **1 kg frischen rohen Speck** mit **1 EL Salz** darin 20–25 Min. bei mittlerer Hitze kochen. Herausheben und gut trocken tupfen. Ca. 10 Min. an der Luft trocknen lassen. **½ l hoch erhitzbares Öl** im Wok stark erhitzen und den Speck vorsichtig hineingeben. Bei mittlerer Hitze in ca. 10 Min. knusprig frittieren; dabei am besten einen Spritzschutz auflegen. Speck wenden und auf der anderen Seite ebenfalls ca. 10 Min. frittieren. Auf Küchenpapier abtropfen lassen. Der Speck hält im Kühlschrank in Frischhaltefolie verpackt ca. 1 Woche. Vor der Verwendung in Stücke schneiden und in heißem Öl 1–2 Min. knusprig braten.

TIPP
Ersatzweise können Sie auch (gesalzenen) fetten Speck in Würfel schneiden und in der Pfanne auslassen, das Fett abgießen und den Speck wie im Rezept beschrieben verarbeiten.

Für 4 Personen
10 Vogelaugenchilis
50 g kleine rote Schalotten
1 grüne Thai-Mango
3 Eier
Salz
½ EL Butter
5 Knoblauchzehen
3 EL Öl
300 g knuspriger Schweinespeck (siehe unten)
50 g Garnelenpaste
50 g Palmzucker
1 kg gekochter Jasminreis (Seite 145)

Zubereitungszeit:
30 Min.
Pro Portion ca.
505 kcal

GEBRATENER REIS MIT KNOBLAUCH

GEBRATENER REIS MIT ANANAS
KHAO PAD SAPPAROT

1. Den Knoblauch schälen und fein hacken, die Frühlingszwiebeln waschen, putzen und in feine Röllchen schneiden. Die Möhre schälen und in ganz feine Würfelchen schneiden. Das Ananasfruchtfleisch in ca. 1 x 1 cm große Stücke schneiden.

2. Das Öl im Wok erhitzen, den Knoblauch hineingeben und leicht anbraten. Eier, Salz und Zucker zugeben und alle Zutaten mit dem Holzspatel gut vermischen. Die Ananasstücke dazugeben und ca. 3 Min. braten.

3. Den gegarten Reis und die Butter zugeben und alles ca. 10 Min. bei kleiner Hitze unter gelegentlichem Rühren weiterbraten. Die Möhrenwürfel und die Frühlingszwiebeln unterrühren, den Wok vom Herd nehmen, das Gericht mit weißem Pfeffer abschmecken und in eine Schüssel umfüllen.

Für 4 Personen
5 Knoblauchzehen
4 Frühlingszwiebeln
1 kleine Möhre
350 g Ananasfruchtfleisch
2 EL Öl
5 Eier
½ EL Salz
1 TL Zucker
1 kg gekochter Jasminreis (Seite 145)
3 EL Butter
1 TL frisch gemahlener weißer Pfeffer

Zubereitungszeit:
20 Min.
Pro Portion ca.
550 kcal

GEBRATENER REIS MIT KNOBLAUCH
KHAO PAD SAI GRATIEM

1. Den Knoblauch schälen und fein hacken, die Frühlingszwiebeln waschen, putzen und in feine Röllchen schneiden.

2. Das Öl im Wok erhitzen, den Knoblauch hineingeben und anbraten, bis er angenehm duftet. Die Butter und den Jasminreis dazugeben und alles gut vermischen. Das Salz dazugeben und alle Zutaten bei sehr kleiner Hitze ca. 10 Min. unter gelegentlichem Rühren weiterbraten.

3. Den Wok vom Herd nehmen, die Frühlingszwiebelröllchen unterheben und das Ganze auf einer Platte anrichten. Nach Belieben mit weißem Pfeffer abschmecken.

DAZU
Der gebratene Reis kann auch als Beilage anstelle von Jasminreis serviert werden. Zusammen mit dem Chili-Dip mit gerösteten Paprikaschoten oder dem Dip mit knusprigem Schweinespeck (beide Seite 29) und gedämpftem Gemüse ist er ein Hauptgericht.

Für 4 Personen
20 große Knoblauchzehen
5 Frühlingszwiebeln
2 EL Öl
2 EL Butter
1 kg gekochter Jasminreis (Seite 145)
2 TL Salz
evtl. frisch gemahlener weißer Pfeffer

Zubereitungszeit:
25 Min.
Pro Portion ca.
400 kcal

GEBRATENER REIS MIT EIERN

GEBRATENER REIS MIT EIERN
KHAO PAD KHAI

1. Den Knoblauch schälen und fein hacken, die Frühlingszwiebeln waschen, putzen und in feine Röllchen schneiden, die Möhre schälen und in sehr feine Würfelchen schneiden.

2. Das Öl im Wok erhitzen, den Knoblauch hineingeben und kurz anbraten. Die Eier hinzufügen, mit dem Knoblauch vermischen und braten, bis die Eier gestockt sind.

3. Den gegarten Reis und die Butter zugeben und unterrühren. Salz und Zucker dazugeben, gut untermischen und alles ca. 10 Min. bei kleiner Hitze unter gelegentlichem Rühren weiterbraten.

4. Zum Schluss die Möhrenwürfel und die Frühlingszwiebeln unterrühren. Den Wok vom Herd nehmen, das Gericht mit weißem Pfeffer abschmecken und auf eine Platte geben. Nach Belieben Limettenschnitze dazu reichen.

Für 4 Personen
5 Knoblauchzehen
4 Frühlingszwiebeln
1 kleine Möhre
1 EL Öl
5 Eier
1 kg gekochter Jasminreis (Seite 145)
1 ½ EL Butter
1 TL Salz
1 TL Zucker
1 TL frisch gemahlener weißer Pfeffer
evtl. Limettenschnitze zum Servieren

Zubereitungszeit:
20 Min.
Pro Portion ca.
440 kcal

GEBRATENER REIS MIT INDISCHEM CURRYPULVER
KHAO PAD PONG CARRY

1. Die Frühlingszwiebeln waschen, putzen und in feine Röllchen schneiden, die Schalotten schälen, halbieren und fein schneiden.

2. Die Butter im Wok langsam erhitzen, die Schalotten dazugeben und glasig dünsten. Die Eier dazugeben, mit dem Holzspatel umrühren und braten, bis die Eier gestockt sind. Das Currypulver zugeben und gut untermischen.

3. Den gegarten Reis dazugeben, umrühren und etwas anbraten, dann Salz und Zucker darüberstreuen und alle Zutaten gut vermischen. Bei kleiner Hitze ca. 5 Min. unter gelegentlichem Rühren weiterbraten. Die Frühlingszwiebelröllchen unterrühren und das Gericht auf einer Platte anrichten.

Für 4 Personen
5 Frühlingszwiebeln
6 kleine Schalotten
50 g Butter
4 Eier
2 EL indisches Currypulver (siehe Tipp)
1 kg gekochter Jasminreis (Seite 145)
2 TL Salz
1 TL Zucker

Zubereitungszeit:
15 Min.
Pro Portion ca.
460 kcal

TIPP
Für dieses Rezept sollten Sie klassisches indisches Currypulver aus dem Asienladen verwenden. Madras-Currypulver ist nicht geeignet, weil es zu scharf ist.

DAZU
Zu beiden Gerichten passt die Fischsauce mit Chilis *nam pla prik* (Seite 28) mit sehr fein geschnittenen Schalotten angereichert.

GEBRATENER REIS MIT GEMÜSE
KHAO PAD PAK

1. Die Babymaiskolben waschen und in dünne Scheiben schneiden. Die Zuckerschoten waschen und ganz lassen. Stängelkohl oder Brokkoli waschen und in 1 cm lange Stifte schneiden bzw. in Röschen teilen. Die Möhre schälen und in sehr feine Würfel schneiden. Den Knoblauch schälen und fein hacken, die Frühlingszwiebeln waschen, putzen und in feine Röllchen schneiden.

2. Das Öl im Wok erhitzen, den Knoblauch dazugeben und kurz anbraten. Die Eier zugeben, mit dem Holzspatel umrühren und so lange weiterbraten, bis die Eier gestockt sind. Stängelkohl oder Brokkoli, Zuckerschoten, Babymaiskolben, Zucker und die vegetarische Austernsauce zugeben. Alle Zutaten unter Rühren ca. 5 Min. weiterbraten, bis das Gemüse knapp gar ist.

3. Den gegarten Reis, Butter und Salz hinzufügen, alles gut vermischen und ca. 2 Min. weiterbraten. Zum Schluss die Möhrenwürfel und Frühlingszwiebelröllchen unterrühren. Den Wok vom Herd nehmen, das Gericht mit weißem Pfeffer abschmecken und in eine Schüssel umfüllen.

DAZU

Zum gebratenen Reis mit Gemüse reicht man zum Nachwürzen die Fischsauce mit Chilis *nam pla prik* (Seite 28). Sehr gut dazu sind auch der Chili-Dip mit gerösteten Paprikaschoten oder der Dip mit knusprigem Schweinespeck (beide Seite 29).

Für 4 Personen
- 4 Babymaiskolben
- 10 kleine Zuckerschoten
- 50 g junge Stängelkohltriebe (cima di rapa) oder Brokkoliröschen
- 1 kleine Möhre
- 5 Knoblauchzehen
- 5 Frühlingszwiebeln
- 1 EL Öl
- 5 Eier
- 1 TL Zucker
- 1 EL vegetarische Austernsauce
- 1 kg gekochter Jasminreis (Seite 145)
- 1 ½ EL Butter
- 1 TL Salz
- 1 TL frisch gemahlener weißer Pfeffer

Zubereitungszeit: 20 Min.
Pro Portion ca. 475 kcal

GEBRATENER REIS MIT GARNELEN
KHAO PAD GUNG

Für 4 Personen
Für die Garnelen:
400 g rohe Garnelen mit Schale
1 TL Zucker
½ TL frisch gemahlener weißer Pfeffer
1 EL Austernsauce
1 EL Öl
Für den Reis:
1 kleine Möhre
5 große Knoblauchzehen
2 Frühlingszwiebeln
2 EL Öl
6 Eier
1 EL helle Sojasauce
½ EL Zucker
1 kg gekochter Jasminreis (Seite 145)
2 EL Butter
1 TL Salz
frisch gemahlener weißer Pfeffer

Zubereitungszeit:
50 Min.
Pro Portion ca.
575 kcal

1. Die Garnelen schälen, Kopf abtrennen, den Schwanzfächer dranlassen. Den schwarzen Darm am Rücken mit einem spitzen Messer herauslösen. Die Garnelen mit Zucker, Pfeffer, Austernsauce und dem Öl gut vermischen. Zugedeckt im Kühlschrank ca. 20 Min. marinieren.

2. Inzwischen für den Reis die Möhre schälen und in sehr feine Würfel schneiden, den Knoblauch schälen und fein hacken, die Frühlingszwiebeln waschen, putzen und in feine Röllchen schneiden.

3. Das Öl im Wok erhitzen, den Knoblauch hineingeben und kurz anbraten. Die Eier zugeben und mit dem Holzspatel verrühren. Sojasauce und Zucker zugeben, umrühren. Dann den gegarten Reis, Butter und Salz hinzufügen und alle Zutaten gut vermischen. Die Hitze reduzieren und das Gericht unter gelegentlichem Rühren ca. 5 Min. weiterbraten.

4. Einen Wok oder eine Pfanne ohne Öl erhitzen und die marinierten Garnelen darin unter gelegentlichem Rühren ca. 5 Min. anbraten.

5. Frühlingszwiebeln und Möhren unter den Reis mischen, den Wok vom Herd nehmen und den Reis auf einer Platte anrichten. Die Garnelen darauf verteilen. Das Gericht mit etwas weißem Pfeffer abschmecken. Nach Belieben Limettenschnitze dazu reichen.

TIPPS
Zu gebratenem Reis serviert man in Thailand immer ein Schälchen Fischsauce mit Chilis *nam pla prik* (Seite 28).
Anstelle von Garnelen kann die gleiche Menge klein geschnittenes Hähnchenbrustfilet oder Schweinefilet verwendet werden. Auch Tintenfischringe schmecken ausgezeichnet. Die Zubereitung bleibt gleich.

GEFÜLLTE NUDELROLLEN
GUITIAUW HOO

1. Die Shiitakepilze ca. 20 Min. in warmem Wasser einweichen, den Stiel abschneiden und die Hüte in feine Streifen schneiden. Den Tofu klein würfeln. Die Frühlingszwiebeln waschen, putzen und in feine Röllchen schneiden. Die Möhre schälen und sehr fein würfeln, Knoblauch schälen und fein hacken. Sojasprossen waschen und abtropfen lassen.

2. Das Öl im Wok erhitzen. Den Tofu darin goldbraun anbraten, die Pilze zugeben und ca. 1 Min. weiterbraten. Den Knoblauch zugeben und kurz anbraten, das Schweinehackfleisch hinzufügen und unter gelegentlichem Rühren gut anbraten.

3. Sojasprossen, Austernsauce, Sojasauce und Zucker unterrühren und 3–5 Min. weiterbraten, bis das Gemüse gar ist. Die Möhrenwürfel und Frühlingszwiebelröllchen zufügen, alles vermischen und mit etwas weißem Pfeffer abschmecken. Auskühlen lassen.

4. Getrocknete Teigblätter nach Packungsanleitung einweichen und trocken tupfen. Frische oder getrocknete Teigblätter auf einem feuchten Tuch auslegen, je 1 gut gehäuften EL Füllung in die Mitte am unteren Ende des Teigblatts geben. Teig nach oben einschlagen und einmal einrollen, dann die Seiten einschlagen und fertig rollen. Die Nudelrollen auf eine hitzefeste Platte legen und in den Dampfgarer stellen. Das Wasser aufkochen und die Nudelrollen zugedeckt bei mittlerer Hitze 5–7 Min. dämpfen.

5. Den Knoblauch schälen und fein hacken. Das Öl im Wok sehr stark erhitzen und den Knoblauch darin knusprig frittieren. Mit etwas Öl herausheben und in einem Schälchen beiseitestellen. Die Frühlingszwiebel waschen, putzen und in feine Röllchen schneiden. Die Nudelrollen aus dem Dampfgarer holen, mit Knoblauch und Frühlingszwiebel bestreuen und mit Chilisauce *sri racha* (Fertigprodukt) servieren.

TIPPS
In Thailand werden die Nudelrollen mit frischen Nudelteigblättern gemacht. Wenn Sie getrocknete Reispapierblätter verwenden, nehmen Sie die etwas dickeren, die sich zum Dämpfen eignen. Die Reispapierblätter sind meist größer, darum etwa 2 EL Füllung pro Nudelrolle verwenden.

Für 6–8 Personen
Für die Nudelrollen:

5	getrocknete große Shiitakepilze
250 g	fester Tofu
2–3	kleine Frühlingszwiebeln
1	kleine Möhre
5	große Knoblauchzehen
100 g	Sojasprossen
3 EL	Öl
200 g	Schweinehackfleisch
½ EL	Austernsauce
1 EL	helle Sojasauce
1 EL	Zucker
	frisch gemahlener weißer Pfeffer
1 kg	frische Nudelteig-Blätter (8 x 8 cm groß; ersatzweise getrocknete Reispapierblätter, siehe Tipp)

Zum Bestreuen:

10	Knoblauchzehen
5 EL	Öl
1	Frühlingszwiebel

Zubereitungszeit:
1 Std.
Bei 8 Portionen pro Portion ca.
590 kcal

GEBRATENE REISNUDELN MIT SOJASAUCE

GUITIAUW PAD SI-IU

Für 8 Personen

1 kg	breite frische Thai-Reisnudeln oder 500 g getrocknete
2 EL	dunkle Sojasauce
2 EL	helle Sojasauce
1 EL	Zucker
250 g	Gemüse (z. B. chinesischer Brokkoli, Stängelkohl, Möhren, Babymaiskolben)
200 g	Hähnchenbrustfilet
10	Knoblauchzehen
5 EL	Öl
5	Eier
3 EL	vegetarische Austernsauce frisch gemahlener weißer Pfeffer

Zubereitungszeit:
25 Min.
Pro Portion ca.
420 kcal

1. Die getrockneten Reisnudeln nach Packungsanleitung vorbereiten. Die frischen oder vorbereiteten getrockneten Nudeln in eine Schüssel geben, beide Sojasaucen und den Zucker dazugeben und gut mit den Nudeln mischen. Die Nudeln mit den Fingern ein bisschen auseinanderzupfen.

2. Die Gemüse waschen und putzen bzw. schälen und in mundgerechte Stücke schneiden. Das Hähnchenbrustfilet waschen, trocken tupfen und klein schneiden. Den Knoblauch schälen und fein hacken.

3. Das Öl im Wok erhitzen. Knoblauch und Hähnchenstücke hineingeben und kräftig anbraten. Die Eier aufschlagen, unterrühren und weiterbraten, bis die Eier gestockt sind. Gemüse und Austernsauce zugeben und alles ca. 2 Min. bei großer Hitze unter Rühren weiterbraten. Die Nudeln dazu- gegeben und alles ca. 5 Min. bei mittlerer Hitze weiterbraten. Auf einer Platte anrichten und mit weißem Pfeffer bestreuen.

TIPP

Traditionell reicht man in Thailand zu Nudelgerichten folgende Gewürze: fein gemahlene Chilischoten, Zucker, Fischsauce und Reisessig, der mit dünnen Chiliringen gewürzt ist.

REISNUDELN IN GEBUNDENER SAUCE MIT TINTENFISCH
RAD NAH PLA MÜK

1. Die Tintenfische waschen, trocken tupfen und in eine Schüssel geben. Mit Tapiokamehl, Austernsauce und 1 TL Zucker gut mischen. Ca. 30 Min. im Kühlschrank marinieren lassen.

2. Frische Reisnudeln kleben etwas zusammen, deshalb vor der Verwendung mit den Händen auseinanderzupfen und mit beiden Sojasaucen vermischen. Die trockenen Nudeln nach Packungsanleitung vorbereiten. 1 EL Öl im Wok erhitzen und die Reisnudeln darin braten, auf eine Platte geben und beiseitestellen.

3. Gemüse waschen und putzen, falls nötig schälen und in mundgerechte Stücke schneiden. Knoblauch schälen und fein hacken. Die Speisestärke mit 5 EL kaltem Wasser in einem Schüsselchen anrühren.

4. Die übrigen 2 EL Öl im Wok erhitzen und den Knoblauch kurz anbraten. Tintenfischringe zugeben und ca. 1 Min. kräftig anbraten, Gemüse, Salz, 1 TL Zucker und gut 400 ml Wasser hinzufügen, umrühren und alles ca. 2 Min. weiterbraten. Hitze reduzieren. Die Speisestärke nochmals umrühren und unter ständigem Rühren in den Wok geben. Bei kleiner Hitze weiterköcheln, bis die Sauce andickt. Alles über die gebratenen Nudeln geben und mit schwarzem Pfeffer abschmecken.

TIPPS

Auch zu diesem Nudelgericht reicht man fein gemahlene Chilischoten, Zucker, Fischsauce und Reisessig, der mit fein geschnittenen Chiliringen gewürzt ist oder Limettenschnitze.

Anstelle von Tintenfisch können Sie auch 300 g Hühnchenbrustfilet verwenden. Ansonsten ist die Zubereitung genauso wie beim Rezept oben, auch die Garzeiten sind gleich. Sie können das Gericht vor dem Servieren mit frisch gemahlenem weißem Pfeffer bestreuen.

Für 4 Personen

300 g frische Tintenfische (im Ganzen oder Ringe)
1 EL Tapiokamehl
2 EL Austernsauce
2 TL Zucker
1 kg breite frische Thai-Reisnudeln oder 500 g getrocknete
1 EL helle Sojasauce
1 TL dunkle Sojasauce
3 EL Öl
150 g Gemüse (z. B. chinesischer Brokkoli, Stängelkohl, Babymaiskolben oder Pilze)
5 Knoblauchzehen
3 EL Speisestärke
½ EL Salz
frisch gemahlener schwarzer Pfeffer

Zubereitungszeit:
40 Min.
Pro Portion ca.
675 kcal

REISNUDELN MIT GARNELEN
PAD THAI SAI GUNG

Für 4 Personen
200 g getrocknete Reisnudeln (siehe Info)
100 g fester weißer Tofu
300 g rohe Garnelen mit Schale
3 Knoblauchzehen
15 g saure Tamarindenpaste
100 g chinesischer Schnittlauch (Schnittknoblauch)
100 g Sojasprossen
1 Bio-Limette
3 EL Öl
3 Eier
20 g Palmzucker
½ EL Reisessig
1 EL Fischsauce
50 g geröstete Erdnüsse

Zubereitungszeit:
20 Min.
Pro Portion ca.
525 kcal

1. Die Nudeln nach Packungsanleitung einweichen, abgießen und beiseitestellen. Den Tofu in kleine Würfelchen schneiden. Die Garnelen schälen, Kopf abtrennen, den Schwanzfächer dranlassen. Den schwarzen Darm am Rücken mit einem spitzen Messer herauslösen. Die Garnelen kalt abbrausen und gut trocken tupfen.

2. Den Knoblauch schälen und fein hacken. Die Tamarindenpaste in 80 ml Wasser einweichen. Den Schnittknoblauch waschen, einige Stängel halbieren und zum Garnieren beiseitelegen. Den Rest in 2 cm lange Stücke schneiden. Die Sojasprossen waschen und abtropfen lassen. Die Limette heiß waschen und in Schnitze schneiden.

3. Das Öl im Wok erhitzen. Den Tofu hineingeben und goldgelb anbraten, dann den Knoblauch zugeben und ebenfalls anbraten. Beides auf einen Teller geben. Die Garnelen im Wok ca. 5 Min. braten und auf einen zweiten Teller legen. Die Eier in einer Schüssel aufschlagen, in den Wok geben und ca. 2 Min. unter gelegentlichem Rühren mit dem Holzspatel braten, bis sie gestockt sind. Eier aus dem Wok nehmen und zum Tofu geben.

4. Die Tamarindenpaste mit den Fingern ausdrücken, die Paste wegwerfen und nur den Saft mit Palmzucker, Reisessig und Fischsauce in den Wok geben. Die Flüssigkeit aufkochen. Die Nudeln zugeben und unter Rühren ca. 15 Min. garen. Die Hitze etwas reduzieren, Schnittknoblauch und Sojasprossen dazugeben und mit den Nudeln vermischen. Die Tofu-Eier-Mischung zugeben und gut unterrühren.

5. Den Wok vom Herd nehmen und das Gericht auf Schüsseln verteilen. Die Garnelen darauflegen, mit den Erdnüssen bestreuen. Alles mit dem Schnittknoblauch und den Limettenschnitzen garnieren.

INFO
Kaufen Sie Reisnudeln für *pad thai* im Asienladen. Traditionell reicht man zum individuellen Würzen von *pad thai* gemahlene Chiliflocken, Fischsauce, Zucker, frische Sojasprossen und manchmal auch aufgeschnittene Bananenblütenstücke.

GEBRATENE GLASNUDELN MIT EIERN
PAD WUNSEN SAI KHAI

Für 4 Personen
5 getrocknete Shiitakepilze
80 g getrocknete Glasnudeln
200 g Chinakohl
5 Knoblauchzehen
4 Frühlingszwiebeln
6 EL Öl
5 Eier
1 TL Zucker
4 EL vegetarische Austernsauce
frisch gemahlener weißer Pfeffer

Zubereitungszeit:
35 Min.
Pro Portion ca.
410 kcal

1. Die Shiitakepilze ca. 20 Min. in warmem Wasser einweichen, den Stiel abschneiden und wegwerfen, die Hüte in schmale Streifen schneiden.

2. Ca. 1 l Wasser aufkochen, die Glasnudeln in eine Schüssel geben und mit dem heißen Wasser übergießen. Die Glasnudeln ca. 10 Min. einweichen, ausdrücken und mit der Küchenschere etwas kleiner schneiden.

3. Den Chinakohl waschen, putzen und in feine Streifen schneiden. Den Knoblauch schälen und fein hacken, die Frühlingszwiebeln waschen, putzen und in 2 cm lange Stücke schneiden.

4. Das Öl im Wok erhitzen und den Knoblauch darin glasig braten, die Pilzstreifen dazugeben und kräftig anbraten. Die Eier in einer Schüssel aufschlagen und in den Wok geben. Die ausgedrückten Glasnudeln und den Zucker zugeben und bei mittlerer Hitze unter Rühren ca. 5 Min. weiterbraten. Den Chinakohl zugeben und ca. 3 Min. weiterbraten, bis das Gemüse gar ist.

5. Mit Austernsauce abschmecken, die Frühlingszwiebeln dazugeben und unterrühren. Den Wok vom Herd nehmen und das Gericht auf einem Teller anrichten. Mit weißem Pfeffer abschmecken und servieren.

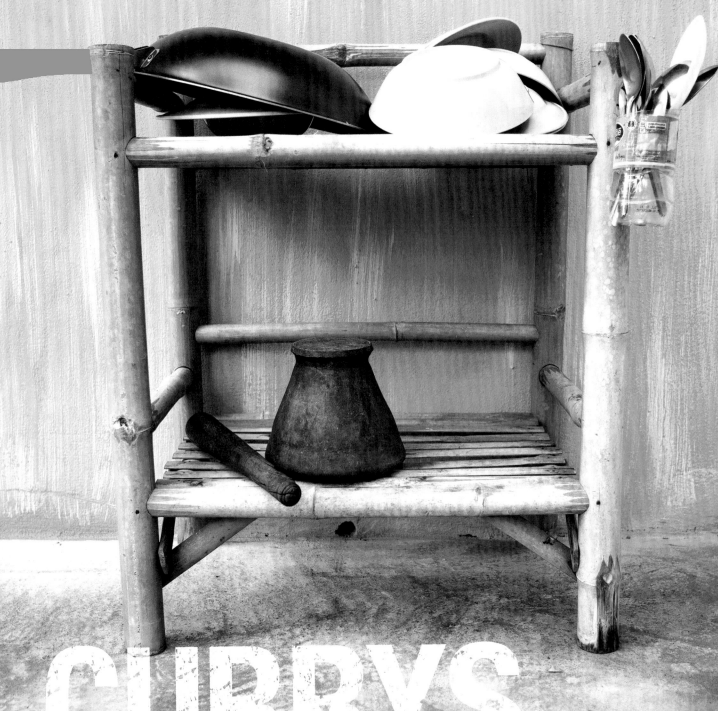

CURRYS

CURRYS – ODER REINSTES SAUCENGLÜCK

Die Idee der Currys stammt wie die Liebe zu intensiven Gewürzen aus der malaysischen und indischen Küche. Der Name ist aus dem Hinduwort *cari* entstanden, das »Sauce« bedeutet. Im Englischen wurde daraus Curry. Der Name steht heute sowohl für das Gericht, wie für die Gewürzmischung. In Thailand bedeutet das Wort *carri* »etwas, das aus Indien stammt«.

Das besondere Aroma der Thai-Currys entsteht nicht wie bei den malaysischen und indischen durch stundenlanges Einkochen. Die vielen Kräuter und Gewürze sind die Ursache der Geschmacksintensität. Dabei sind die Thai-Currys keinesfalls weniger scharf als indische, schmecken aber völlig anders. Typische Zutaten sind Chilis, Kaffirlimetten-Blätter, Kokosmilch, Tamarindenmark und natürlich die Currypasten.

CURRYPASTEN

Sie sind das Herz eines jeden Currygerichts. Dabei ist das Aroma von frisch zubereiteten Pasten deutlich intensiver als das fertiger Produkte. Zwar sind die importierten Pasten aus Thailand von guter Qualität, doch die frisch zubereiteten sind geschmacklich nicht zu übertreffen. Duftende Gewürze und Kräuter werden im Mörser zu einer homogenen Paste gestampft, so verbinden sich die Aromen am besten.

Am schärfsten sind die grüne und die rote Currypaste, dann folgen die rote aus getrockneten Chilischoten, die orange und die gelbe Paste. Daneben gibt es noch die malaysisch beeinflusste *penang*-Currypaste. Im muslimischen Teil Thailands ist die milde *massaman*-Currypaste beliebt (Rezepte Seite 174 ff.).

ZUBEREITUNGEN AUS NORD UND SÜD

Bei Currys ist erkennbar, aus welcher Region sie ursprünglich stammen. So essen die Menschen im Norden zu ihren eher dünnflüssigen Currys gern gedämpften Klebreis. Im Nordosten sind gekochte Currys beliebt: Die Currypaste wird dazu in kochender Brühe oder Wasser aufgelöst. Darin gart man klein geschnittenes Gemüse, Fisch oder Fleisch und Kräuter.

Das bekannte grüne Curry, aber auch andere Currys aus dem Süden und aus Zentralthailand, werden mit Kokosmilch zubereitet. Dazu brät man zuerst im Wok die Currypaste mit dicker Kokoscreme an, bis sich ein intensiver Duft entfaltet und sich an der Oberfläche viele kleine Fettaugen bilden. Danach gibt man die restliche Kokosmilch und die anderen Zutaten dazu. Diese cremig-scharfen Currys werden mit Jasminreis serviert.

CURRYPASTEN
PRIK GÄNG

Jede thailändische Hausfrau und Köchin hat ihr eigenes Rezept für Currypaste. Die Grundzutaten bleiben gleich, können aber in der Menge ein wenig variieren, je nach eigener Vorliebe, scharf oder weniger scharf. Der Geschmack sollte aber immer ausgewogen sein.

Am besten für die Zubereitung von Currypasten eignen sich Mörser und Stößel. Dies ist zwar durchaus anstrengend und zeitintensiv, aber das Endprodukt schmeckt viel besser als Currypaste, die im Blitzhacker gemacht worden ist. Wenn es mal schneller gehen muss, können Sie die Zutaten kurz im Zerhacker zerkleinern und dann im Mörser fertig stampfen. Meist werden ja größere Mengen Currypaste hergestellt, als man gleich verwendet. Geben Sie übrige Paste in ein Schraubglas und heben Sie sie im Kühlschrank auf.

Zusätzlich zu den Rezepten auf dieser Seite finden Sie die grüne Currypaste auf Seite 178 und die Massaman-Currypaste auf Seite 181.

ACHTUNG!

Die meisten Chilipasten sind sehr scharf, allen voran die grüne und die rote Paste. Auch die »milderen« sind für europäischen Geschmack noch scharf. Dosieren Sie die Pasten also lieber erst einmal vorsichtig, bis Sie sich an die Schärfe gewöhnt haben.

ROTE CURRYPASTE
PRIK GÄNG PET

½ EL Korianderkörner
5–6 kleine rote Schalotten (50 g zerkleinert)
20 kleine Knoblauchzehen (30 g zerkleinert)
100 g frische rote und grüne Vogelaugenchilis
1 Stück Galgantwurzel (10 g zerkleinert)
1 Stängel Zitronengras (30 g zerkleinert)
1 dünnes Stück Schale von 1 Bio-Kaffirlimette
2 Korianderwurzeln
30 g getrocknete rote Chilischoten
1 TL Salz

1. Die Korianderkörner im Wok ohne Fett rösten, bis sie duften, herausnehmen und beiseitestellen. Schalotten und Knoblauch schälen und hacken. Die Vogelaugenchilis waschen und putzen, die Galgantwurzel sparsam schälen und fein hacken. Die äußeren Blätter vom Zitronengras entfernen, innere Stängel waschen und in feine Röllchen schneiden. Die Limettenschale fein hacken, die Korianderwurzeln waschen.

2. In einem großen Mörser zuerst Korianderkörner und getrocknete Chilischoten mit dem Salz zerstoßen. Die restlichen Zutaten dazugeben und stampfen, bis eine homogene Paste entstanden ist.

Rezepte mit roter Currypaste finden Sie auf den Seiten 188, 203, 205 und 206.

GELBE CURRYPASTE
PRIK GÄNG LÜANG

1 EL Reis
2–3 kleine rote Schalotten (20 g zerkleinert)
10–15 kleine Knoblauchzehen (20 g zerkleinert)
1 Stück frische Kurkuma (10 g zerkleinert)
30 g kleine getrocknete rote Chilischoten
1 EL Garnelenpaste
½ EL Salz

1. Den Reis 30 Min. in Wasser einlegen und abtropfen lassen. Schalotten und Knoblauch schälen und grob hacken. Die Kurkuma sparsam schälen und in Scheiben schneiden.

2. Die getrockneten Chilischoten im Mörser zerstoßen, dann alle anderen Zutaten beigeben und mit dem Stößel stampfen, bis eine homogene Paste entstanden ist.

Ein Rezept mit gelber Currypaste finden Sie auf Seite 184.

ORANGE CURRYPASTE
PRIK GÄNG SOMM

3 kleine Stücke Krachai-Wurzel
(20 g zerkleinert)
10 kleine rote Schalotten
(100 g zerkleinert)
1 Stängel Zitronengras
(25 g zerkleinert)
20 g getrocknete rote Chilischoten
1 TL Salz
1 EL Garnelenpaste

1. Die Krachai-Wurzel sparsam schälen und fein schneiden. Die Schalotten schälen und grob hacken. Äußere Blätter vom Zitronengras entfernen, innere Stängel waschen und in feine Röllchen schneiden.

2. In einem großen Mörser die getrockneten Chilischoten mit dem Salz und der Garnelenpaste zerstoßen, dann die vorbereiteten Zutaten in den Mörser geben und stampfen, bis eine homogene Paste entstanden ist.

Ein Rezept mit oranger Currypaste finden Sie auf Seite 186.

CURRYPASTE AUS GERÖSTETEN CHILISCHOTEN
NAM PRIK PHAUW

3 Stängel Zitronengras
(20 g zerkleinert)
10 kleine rote Schalotten
(100 g geschält)
60 kleine Knoblauchzehen
(100 g geschält)
50 g getrocknete kleine rote Chilischoten
1 EL Garnelenpaste
1 EL Palmzucker
1 TL Salz
100 ml Öl

1. Äußere Blätter vom Zitronengras entfernen, innere Stängel waschen und in feine Röllchen schneiden. Im heißen Wok ohne Fett rösten, bis es duftet, in ein Schälchen umfüllen und abkühlen lassen. Schalotten und Knoblauch schälen.

2. Wok wieder erhitzen und getrocknete Chilischoten, Garnelenpaste, ganze Knoblauchzehen und Schalotten bei mittlerer Hitze rösten, bis Schalotten und Knoblauch weich sind. Auskühlen lassen. Schwarze Stellen von Schalotten und Knoblauch abschneiden.

3. Zitronengrasröllchen, geröstete Chili-Mischung aus dem Wok sowie Palmzucker und Salz in einem großen Mörser stampfen, bis eine homogene Paste entstanden ist.

4. Das Öl im Wok erhitzen, die Paste hineingeben und bei kleiner Hitze unter Rühren braten, bis sie zu duften beginnt und das Öl eine gelbliche Farbe angenommen hat. Abkühlen lassen.

INFO
Diese Paste dient als Würzsauce für kurzgebratenes Fleisch, Gemüse oder Meeresfrüchte. In Thailand isst man sie auch gerne mit Reis, Eiern und Gemüse. Rezepte dazu finden Sie auf den Seiten 203 und 206.

CURRYPASTE FÜR THOM-YAM-SUPPEN
NAM PRIK PHAUW THOM YAM

3 Stängel Zitronengras
(20 g zerkleinert)
10 kleine rote Schalotten
(100 g geschält)
60 kleine Knoblauchzehen
(100 g geschält)
30 g saure Tamarindenpaste
50 g getrocknete kleine rote Chilischoten
1 EL Garnelenpaste
1 Stück Galgantwurzel
(20 g zerkleinert)
1 EL Palmzucker
1 TL Salz
100 ml Öl

1. Äußere Blätter vom Zitronengras entfernen, innere Stängel waschen und in feine Röllchen schneiden. Im heißen Wok ohne Fett rösten, bis es duftet, dann abkühlen lassen. Schalotten und Knoblauch schälen. Die Tamarindenpaste in wenig Wasser einweichen.

2. Den Wok erhitzen und getrocknete Chilischoten, Garnelenpaste, ganze Knoblauchzehen und Schalotten bei mittlerer Hitze rösten, bis Schalotten und Knoblauch weich sind. Auskühlen lassen. Schwarze Stellen von Schalotten und Knoblauch abschneiden.

3. Galgant schälen und fein schneiden. Zitronengras, geröstete Chili-Mischung, Galgant, Palmzucker, Tamarindenwasser (ohne Kerne und Fasern) und das Salz im Mörser stampfen, bis eine homogene Paste entstanden ist.

4. Das Öl im Wok erhitzen, die Paste zugeben und bei kleiner Hitze unter Rühren braten, bis sie zu duften beginnt und das Öl eine gelbliche Farbe angenommen hat. Abkühlen lassen. Rezepte mit dieser Paste finden Sie auf Seite 110.

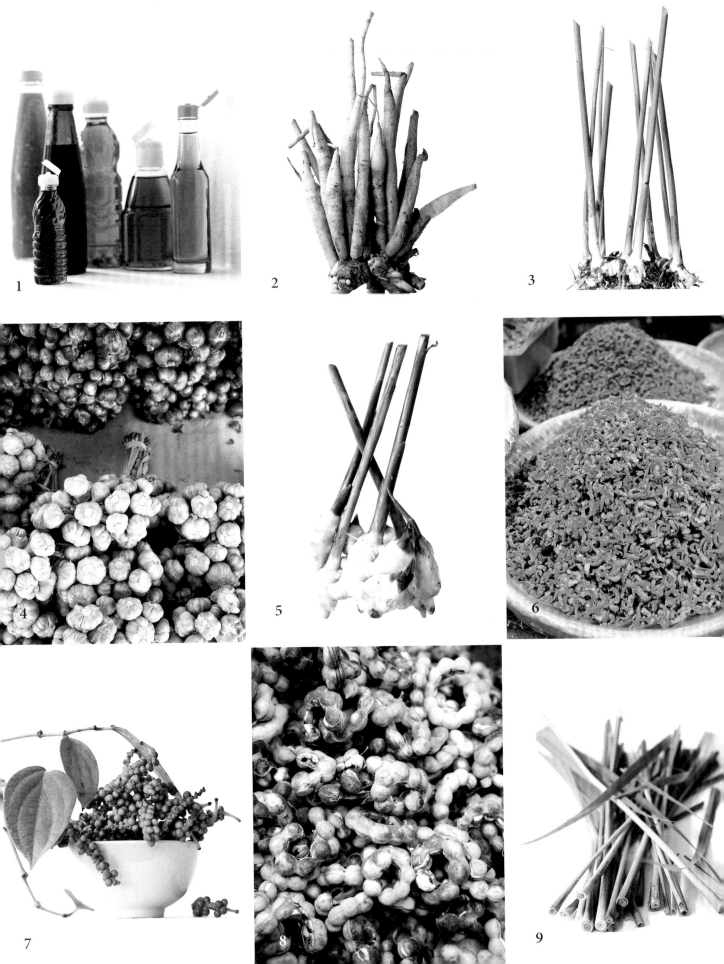

1 WÜRZSAUCEN

In Thailand wird viel mit Fischsauce *(nam pla),* Sojasauce *(si-iu khao)* und Austernsauce *(nam manhoy)* gekocht. Statt Austernsauce kann auch die vegetarische Austernsauce verwendet werden. Sie wird aus Shiitakepilzen hergestellt und ist etwas milder im Geschmack. Außerdem werden verschiedene scharfe und süße Würzsaucen zum Essen gereicht. Vegetarier können Fischsauce durch Sojasauce ersetzen.

2 GETROCKNETE GARNELEN GUNG HÄNG

Getrocknete Garnelen schmecken intensiv salzig und leicht süß. Man würzt Suppen und Papayasalate damit. Die Garnelenpaste *(kapi)* wird aus Garnelen und Salz gemacht, sie riecht sehr streng. *Kapi* ist eine wichtige Zutat für Currypasten. Bitte unbedingt thailändische *kapi* kaufen, Produkte aus Indonesien oder Malaysia schmecken anders.

3 GALGANT – KHA

Galgant wird oft als Thai-Ingwer bezeichnet und ist ein wichtiges Gewürz in der Thai-Küche. Der Geschmack ist leicht medizinisch und nicht durch Ingwer zu ersetzen. Junge weiße Triebe sind für die berühmte Garnelen- oder Kokossuppe unverzichtbar. Für die Verwendung in Currypasten bevorzugt man ältere Wurzeln, die intensiver schmecken. Man erkennt sie an der dunkleren Farbe und einer dickeren Schale.

4 INGWER – KING

Junger Ingwer hat einen mild-scharfen Geschmack, ältere Knollen sind schärfer. Der Geruch ist aromatisch und angenehm. In der Thai-Küche schätzt man die jungen Triebe mit weißer Haut. Sie kommen fein geschnitten in Salate und Wok-Gerichte. Ingwer gut verpackt im Kühlschrank lagern.

5 SCHALOTTEN, KNOBLAUCH HOM DÄNG, GRATIEM

Die kleinen roten Thai-Schalotten schmecken milder als Gemüsezwiebeln. Als Ersatz eignen sich normale kleine Schalotten.
Thai-Knoblauch ist kleiner und milder im Geschmack und am ehesten mit jungem frischem Knoblauch vergleichbar.

6 FINGERWURZ – KRACHAI

Ein naher Verwandter von Ingwer und Galgant. Der Geschmack ist erdig, zitronig-scharf und kampferartig. Frischer Krachai ist im Asienladen erhältlich. Er lässt sich nicht wirklich ersetzen. Ein bekanntes Gericht mit Krachai ist das scharfe Hühnchencurry (Seite 194). Auch zu Fischgerichten passt er. Krachai wie Ingwer aufbewahren.

7 PFEFFERKÖRNER PRIK THAI

Bevor die Chilis in Thailand bekannt wurden, würzte man hier hauptsächlich mit Pfeffer. Auch heute wird gerne frischer und getrockneter Pfeffer verwendet. Frischer grüner Pfeffer ist im Super-

markt oder Asienladen erhältlich. Er sollte kühl, aber nicht im Kühlschrank gelagert werden, da er sich verfärbt. Grüne Pfefferkörner werden gerne zum Garnieren von roten Currys verwendet.

8 TAMARINDE – MAKHAM

Es gibt süße und saure Tamarindensorten. Die abgebildete junge Tamarinde wird als Obst gegessen; süße Tamarinde wird außerdem zu Fruchtsaft und Bonbons verarbeitet. Reife Schoten haben eine braune Hülle. Die saure Tamarinde gehört zu den wichtigsten Säuerungsmitteln in der Thai-Küche. Man kauft sie als Paste zu Blöcken gepresst. Davon bricht man die benötigte Menge ab, weicht sie 5–10 Min. in Wasser ein und knetet sie dann mit den Fingern weich. Zum Kochen verwendet man nur die Flüssigkeit. Tamarindenwasser ist intensiv und angenehm säuerlich. Die Paste hält sich gut verpackt im Kühlschrank einige Monate.

9 ZITRONENGRAS – TAKRAI

Für die Thai-Küche ist Zitronengras unentbehrlich. Die faserigen Hüllen und holzigen Enden werden vor Gebrauch entfernt. Zum Kochen quetscht man die Stängel, schneidet sie in Scheiben und würzt damit scharf-saure Suppen, Currys und Currypasten. Zitronengras frisch verwenden, getrocknet verliert es sein Aroma.

Für 4 Personen
500 g rohe Garnelen mit Schale
300 g große grün-weiße runde Thai-Auberginen (ersatzweise Thai-Bohnen)
Salz
1 Bund Thai-Basilikum
800 ml Kokosmilch
1–2 EL frisch zubereitete grüne Currypaste (siehe unten)

Zubereitungszeit:
30 Min.
Pro Portion ca.
520 kcal

GRÜNES CURRY MIT GARNELEN
GÄNG KIAUW WAN GUNG

1. Die Garnelen schälen, Kopf und Schwanz abtrennen. Den schwarzen Darm am Rücken mit einem spitzen Messer herauslösen. Garnelen kalt abbrausen und trocken tupfen.

2. Die Auberginen waschen, den Stiel entfernen und die Früchte je in 6 Stücke schneiden. Bis zur Verwendung in kaltes Wasser mit 1 Prise Salz einlegen. Das Basilikum waschen, trocken schütteln und die Blätter abzupfen.

3. 300 ml Kokosmilch und die grüne Currypaste im Wok erhitzen, bis die Currypaste duftet und sich kleine Fettaugen auf der Oberfläche bilden. 1 TL Salz und die restliche Kokosmilch zugeben und aufkochen lassen. Die Thai-Auberginen hineingeben, umrühren und nochmals aufkochen. Die Garnelen zugeben, nicht umrühren, wieder aufkochen lassen und zugedeckt bei kleiner Hitze ca. 5 Min. köcheln, bis Garnelen und Auberginen gar sind.

4. Den Wok vom Herd nehmen, Basilikumblätter aufstreuen, kurz in die Flüssigkeit drücken und das Curry zugedeckt 1 Min. ziehen lassen. In Schüsseln umfüllen und servieren.

VARIANTE MIT FLEISCH
Statt der Garnelen können Sie 500 g Hähnchenbrust- oder Rinderfilet klein schneiden und in der Kokosmilch garen. Das Fleisch nach dem Aufkochen der zweiten Kokosmilchzugabe hinzufügen, nicht umrühren, und aufkochen lassen. Anschließend wie oben beschrieben fortfahren.

1 TL Korianderkörner
1 TL Kreuzkümmelsamen
7–8 kleine rote Schalotten (80 g zerkleinert)
30 kleine Knoblauchzehen (50 g zerkleinert)
100 g grüne Vogelaugenchilis
1 Stück Galgantwurzel (10 g zerkleinert)
1 dünnes Stück Schale von 1 Bio-Kaffirlimette
1 Stängel Zitronengras (30 g zerkleinert)
5 Korianderwurzeln
1 TL schwarze Pfefferkörner
1 TL Salz
1 EL Garnelenpaste

GRÜNE CURRYPASTE
PRIK GÄNG KIAUW WAN

1. Die Korianderkörner im Wok ohne Fett rösten, bis sie duften, herausnehmen und zur Seite stellen. Kreuzkümmelsamen im Wok ohne Fett rösten, bis sie duften, beiseitestellen.

2. Schalotten und Knoblauch schälen und grob hacken. Chilis waschen und putzen. Galgant sparsam schälen und zerkleinern. Die Limettenschale fein hacken. Äußere Blätter vom Zitronengras entfernen, innere Stängel waschen und in feine Röllchen schneiden. Korianderwurzeln waschen.

3. Die gerösteten Gewürze, den Pfeffer und das Salz im großen Mörser zerstoßen. Die weicheren und saftigen Zutaten hinzufügen. Alles mit dem Stößel stampfen und zerstoßen, bis eine homogene Paste entstanden ist.

MASSAMAN-CURRY

GÄNG MASSAMAN

1. Die Kartoffeln mit Schale in ca. 30 Min. knapp weich kochen, etwas abkühlen lassen, pellen und in ca. 1 ½ cm dicke Scheiben schneiden. Zwiebeln schälen und vierteln. Hähnchenbrustfilet waschen und trocken tupfen. Hähnchenbrust- oder Rinderfilet in ca. 1 cm große Würfel schneiden.

2. Im Wok 300 ml Kokosmilch und die Currypaste bei großer Hitze unter Rühren aufkochen, bis die Currypaste duftet und sich kleine Fettaugen auf der Oberfläche bilden. Die Fleischstücke zugeben und ca. 5 Min. unter gelegentlichem Rühren weiterkochen.

3. Die übrige Kokosmilch dazugießen, nicht umrühren, aufkochen lassen. Kartoffelscheiben, Zwiebelstücke, Salz und die Rosmarinzweige dazugeben, zudecken und bei kleiner Hitze ca. 30 Min. köcheln, bis die Zwiebeln gar sind. In eine große Schüssel umfüllen und servieren.

Für 4 Personen
300 g große festkochende Kartoffeln
2 Zwiebeln
500 g Hähnchenbrust- oder Rinderfilet
1 l Kokosmilch
200 g frisch zubereitete Massaman-Currypaste (siehe unten) oder 50 g Fertigprodukt
1 EL Salz
3 Zweige Rosmarin

Zubereitungszeit:
1 Std. 10 Min.
Pro Portion ca.
625 kcal

MASSAMAN-CURRYPASTE

PRIK GÄNG MASSAMAN

1. Schalotten und Knoblauch schälen und grob hacken. 1 EL Öl im Wok erhitzen und beides mit den getrockneten Chilischoten darin anbraten, bis es angenehm duftet. Auskühlen lassen.

2. Kardamom, Gewürznelken, Korianderkörner und Kreuzkümmelsamen im Wok ohne Fett nacheinander rösten, bis es angenehm duftet. Auskühlen lassen.

3. Die Galgantwurzel sparsam schälen und fein schneiden. Äußere Blätter vom Zitronengras entfernen, innere Stängel waschen und in feine Röllchen schneiden.

4. Den gemahlenen Zimt, die Pfefferkörner und die Garnelenpaste mit der Schalotten-Knoblauch-Chili-Mischung im Mörser fein zerstoßen. Die gerösteten Gewürze dazugeben und ebenfalls zerstoßen. Die Korianderwurzeln schälen und mit dem Salz ebenfalls in den Mörser geben. Alle Zutaten so lange stoßen, bis eine homogene Paste entstanden ist.

5. Die übrigen 100 ml Öl im Wok erhitzen und die Paste darin unter ständigem Rühren anbraten, bis es zu duften beginnt. Auskühlen lassen und in einem gut verschließbaren Glasgefäß kühl aufbewahren.

10 kleine rote Schalotten (100 g zerkleinert)
60 kleine Knoblauchzehen (100 g zerkleinert)
110 ml Öl
15 getrocknete kleine rote Chilischoten
10 Kardamomsamen
5 Gewürznelken
½ EL Korianderkörner
1 TL Kreuzkümmelsamen
1 Stück Galgantwurzel (10 g zerkleinert)
5 Stängel Zitronengras (40 g zerkleinert)
1 TL gemahlener Zimt
½ EL schwarze Pfefferkörner
1 EL Garnelenpaste
5 Korianderwurzeln
½ TL Salz

GELBES CURRY MIT FISCH UND EINGELEGTEM BAMBUS
GÄNG LÜANG PLA SAI NOH MAAI DOHNG

Für 4 Personen

300 g festfleischige Fischfilets mit Haut (z. B. Wolfsbarsch oder Weißer Schnapper)

250 g eingelegte Bambussprossen (siehe unten oder Fertigprodukt)

1 Bund Thai-Basilikum

600 ml Kokosmilch

1–2 EL frisch zubereitete gelbe Currypaste (Seite 174) oder ca. ½ EL gelbe Currypaste (Fertigprodukt)

½ EL Salz

evtl. Fischsauce und frisch gemahlener schwarzer Pfeffer

Zubereitungszeit:
30 Min.

Pro Portion ca.
360 kcal

1. Die Fischfilets waschen und trocken tupfen, in 2–3 cm große Stücke schneiden und zur Seite stellen. Die Bambussprossen aus dem Glas abtropfen lassen und falls nötig, in breite Streifen schneiden. Selbst eingelegten Bambus abtropfen lassen. Das Basilikum waschen und trocken schütteln, die Blätter abzupfen und beiseitestellen.

2. 300 ml Kokosmilch mit der gelben Currypaste im Wok aufkochen. Sobald die Currypaste zu duften beginnt und sich kleine Fettaugen auf der Oberfläche bilden, die restliche Kokosmilch und das Salz zugeben. Die Kokosmilch unter Rühren nochmals aufkochen. Bambussprossen und Fischstücke hineingeben, nicht umrühren. Zugedeckt ca. 5 Min. bei mittlerer Hitze kochen lassen.

3. Das Curry vorsichtig umrühren. Die Hitze reduzieren und das Curry ca. 7 Min. unter Aufsicht weiterköcheln lassen. Sobald die Fischstücke gar sind, den Wok vom Herd nehmen, Basilikumblätter zugeben und kurz in die Flüssigkeit drücken. Zugedeckt ca. 1 Min. ruhen lassen. In eine Schüssel umfüllen und servieren. Nach Belieben mit Fischsauce und schwarzem Pfeffer abschmecken.

EINGELEGTE FRISCHE BAMBUSSPROSSEN
1 große frische Bambussprosse (ca. 700 g) mit einem scharfen Messer schälen. Dann die nächste Schicht mit dem Sparschäler abziehen, bis das gelblich weiße Fruchtfleisch zu sehen ist. Das Fruchtfleisch mit dem Sparschäler schräg in dünne Streifen schneiden, in einer Glasschüssel mit **2 TL Salz** und **3 EL Reisessig** gut vermischen und mit Wasser bedecken. Mit einem Tuch zudecken und mindestens 3 Tage bei Zimmertemperatur ziehen lassen. Vor der Verwendung nur abtropfen lassen.

ORANGES CURRY MIT GEMÜSE UND FISCH
GÄNG SOMM SAI PLA

Für 4 Personen

500 g festfleischige, große Fischfilets (z. B. Wolfsbarsch, Heilbutt, Schnapper)

300 g weiße Turibaum-Blüten-knospen (Seite 291) oder weißer Rettich oder lange Thai-Bohnen

1 feste Papaya (ca. 500 g)

1–2 EL orange Currypaste (Seite 175)

1 EL Salz

50 g saure Tamarindenpaste

3 EL Fischsauce

Zubereitungszeit:
25 Min.

Pro Portion ca.
190 kcal

1. Das Fischfilet waschen, trocken tupfen und in ca. 3 x 5 cm große Stücke schneiden. Bis zur Verwendung zugedeckt in den Kühlschrank stellen.

2. Die Blüten waschen und trocken schütteln, seitlich von Hand öffnen und den Stempel entfernen. Oder den Rettich schälen und in 1 cm dicke Scheiben schneiden. Oder die Thai-Bohnen waschen, putzen und in 3 cm lange Stücke schneiden. Die Papaya schälen und in 3 cm große Stücke schneiden.

3. In einem großen Topf 1 ½ l Wasser aufkochen, die orange Currypaste zugeben und im kochenden Wasser auflösen. Papaya und evtl. Rettich oder Bohnen sowie das Salz zugeben. Das Wasser wieder aufkochen und alles bei kleiner Hitze ca. 10 Min. köcheln, bis die Papayastücke gar sind. Inzwischen etwa 6 EL Garflüssigkeit abnehmen und die Tamarindenpaste darin einweichen.

4. Nach ca. 10 Min. den Fisch zugeben, nicht umrühren, das Curry aufkochen lassen und den Fisch ca. 5 Min. garen. Die Hitze reduzieren. Die Tamarindenpaste mit den Fingern ausdrücken und 3–4 EL Saft dazugeben. Das Curry mit der Fischsauce abschmecken. Sollte es zu wenig sauer sein, noch etwas Tamarindensaft dazugeben. Die Turibaum-Blüten dazugeben und vorsichtig in die Flüssigkeit drücken. Den Wok zudecken, vom Herd nehmen und alles ca. 2 Min. ruhen lassen. Das recht flüssige Curry anschließend in eine große Schüssel umfüllen und servieren.

TIPP
Das orange Curry schmeckt auch mit Garnelen sehr gut.

Für 4 Personen
Für die Entenbrust:
500 g Entenbrustfilet
3–4 Knoblauchzehen
1 TL Honig
1 TL helle Sojasauce
1 TL Öl
Für das Curry:
300 g runde grün-weiße Thai-Auberginen
Salz
1 Bund Thai-Basilikum
2 frische lange rote Chilischoten
800 ml Kokosmilch
1–2 EL rote Currypaste (Seite 174)

Zubereitungszeit:
40 Min.
Bratzeit:
30 Min.
Pro Portion ca.
610 kcal

ROTES CURRY MIT GEGRILLTER ENTENBRUST

GÄNG PET BPET YAANG

1. Entenbrustfilet waschen und trocken tupfen. Knoblauch schälen und durchpressen, mit Honig, Sojasauce und Öl vermischen. Entenbrustfilets damit einpinseln und ca. 10 Min. ruhen lassen. Den Backofen auf 200° vorheizen. Die Filets auf dem Blech im Ofen (Mitte, Umluft 180°) ca. 30 Min. braten. Etwas abkühlen lassen und in fingerbreite Stücke schneiden.

2. Während die Entenbrustfilets garen, für das Curry die Auberginen waschen, Stiel entfernen, die Früchte jeweils in 6 Stücke schneiden und bis zur Verwendung in kaltes Wasser mit 1 Prise Salz legen. Basilikum waschen, trocken schütteln und die Blätter abzupfen. Chilischoten waschen, längs halbieren, entkernen und in feine Streifen schneiden.

3. 400 ml Kokosmilch in einem großen Wok aufkochen, die Currypaste dazugeben und weiterkochen, bis es zu duften beginnt und sich an der Oberfläche kleine Fettaugen bilden. Die Entenbruststücke und die restliche Kokosmilch dazugeben, nicht umrühren. Die Kokosmilch aufkochen lassen. Die Auberginen abtropfen lassen und mit ½ EL Salz dazugeben. Alles bei mittlerer Hitze ca. 10 Min. köcheln, bis die Auberginen gar sind.

4. Den Wok vom Herd nehmen, Chilis und Basilikum zugeben und kurz in die Flüssigkeit drücken. Das Curry ca. 1 Min. ziehen lassen, dann servieren.

Für 4 Personen
200 g grüne halbreife Papaya
300 g Hähnchenbrustfilet
½ l Kokosmilch
50 g rote Currypaste (Seite 174)
½ EL Salz
1 Bund afrikanisches Basilikum

Zubereitungszeit:
40 Min.
Pro Portion ca.
330 kcal

ROTES CURRY MIT PAPAYA UND HUHN

GÄNG MALAGO OHN SAI GAI

1. Die Papaya schälen und halbieren, die Kerne herauslösen und das Fruchtfleisch in feine Streifen schneiden. Das Hähnchenbrustfilet waschen, trocken tupfen und in kleine Stücke schneiden.

2. 200 ml Kokosmilch im Wok aufkochen. Rote Currypaste und Salz dazugeben und weiterkochen, bis sich kleine Fettaugen auf der Oberfläche bilden.

3. Die übrige Kokosmilch zugeben und nochmals aufkochen. Das Hähnchenbrustfilet hineingeben, nicht umrühren. Kokosmilch wieder aufkochen, dann umrühren. Das Curry zugedeckt bei kleiner Hitze 5–10 Min. weiterköcheln. Die Papayastreifen dazugeben und vorsichtig umrühren. Den Deckel wieder auflegen und das Curry bei kleiner Hitze ca. 5 Min. köcheln lassen. Basilikum waschen, trocken schütteln und die Blätter abzupfen.

4. Den Wok vom Herd nehmen, die Basilikumblätter in die Flüssigkeit drücken. Das Curry in eine Schüssel füllen und servieren.

ROTES CURRY MIT PAPAYA UND HUHN

GANZ SCHÖN SCHARF – CHILISCHOTEN

DANK DES HANDELS MIT DEN PORTUGIESEN IM 16. JAHRHUNDERT KAMEN CHILIPFLANZEN AUS MITTEL- UND SÜDAMERIKA INS LAND: AUS URSPRÜNGLICH DREI SORTEN ENTSTANDEN IM LAUF DER ZEIT SCHÄTZUNGSWEISE 70 VARIANTEN. HEUTE DÜRFEN DIE EINEN HALBEN BIS VIER ZENTIMETER LANGEN SCHARFEN SCHOTEN *(PRIK)* IN KAUM EINEM GERICHT FEHLEN. SIE SIND AUSSERDEM EIN WICHTIGER EXPORTARTIKEL.

Botanisch gesehen ist die mit der Paprikaschote verwandte Chilischote eine Frucht, die Beere eines Nachtschattengewächses, von denen viele – wie auch Kartoffeln oder Tomaten – aus der Neuen Welt stammen. Auf thailändischen Märkten findet man sie in den unterschiedlichsten Farben und Formen. Die kleinen Vogelaugen-Chilischoten *(prik kii nu)* sind die schärfsten. Auf der Scoville-Skala, einer Messeinheit für die Schärfe von Chilis, erreicht diese feurige Spezialität die Acht auf einer Skala von zehn. Thailänder essen sie gerne roh als Beilage zu verschiedenen Gerichten und Snacks. Dazu beißen sie die Chilischote kurz vor dem Stiel ab und kauen sie gut durch – für Ungeübte sind dabei Schweißausbruch und tränende Augen garantiert.

Die Schärfe der pfeffrigen Schoten stammt von dem Wirkstoff Capsaicin. Er wirkt antibakteriell und schützt so vor Krankheiten. In jeden Vorratsbehälter mit Reis werden in Thailand deshalb ein paar getrocknete Schoten gelegt, die unerwünschte Schädlinge fernhalten. Auch wirken Chilis belebend und kurbeln den Kreislauf an, was in dem feuchtschwülen Klima durchaus von Vorteil ist.

Um ihre Schärfe zu mildern, schneidet man die Chilis nach dem Waschen längs auf und entfernt mit einem Messer die Kerne und weißen Innenhäute. Am besten zieht man dazu Einmalhandschuhe an. Im Mörser zerstoßen oder sehr fein gehackt, entfaltet das Fruchtfleisch der Schoten sein volles Aroma. Weniger scharf als frische Chilis sind eingelegte oder die größeren roten oder grünen Varianten. Jede Chilisorte gibt es auch getrocknet auf dem Markt. Ungeübte sollten hier lieber zu den größeren greifen, die kleinen sind höllisch scharf.

DIE WICHTIGSTEN THAI-CHILISCHOTEN

Scharf sind sie alle, doch nicht alle gleich scharf. Die roten ausgereiften Schoten sind in der Regel voller im Geschmack als die grünen oder gelben. Die kleinen meist schärfer als die großen Schoten.

Wir empfehlen, zu Anfang vorsichtig zu dosieren, bis Sie die für Sie optimale Chilimenge herausgefunden haben. Und wenn es mal nicht scharf genug ist, steht auf dem Tisch ja immer das Schälchen mit *nam pla prik* (Seite 28) zum individuellen Nachwürzen.

Übrigens: Wer oft scharf ist, gewöhnt sich daran und verträgt immer mehr davon.

1 GETROCKNETE CHILI-SCHOTEN – PRIK KII NU

Rote getrocknete Chilischoten gibt es in langen und kurzen Varianten. Sie werden hauptsächlich für die Zubereitung von Chilipasten und für die Herstellung von zerstoßenem Chilipulver verwendet.

2 UND 3 LANGE VOGEL-AUGENCHILIS PRIK KII NU JÄOW

Rote und hellgelbe, noch nicht voll ausgereifte Schoten. Die hellgelben Chilis sind weniger scharf als grüne und rote, da sie noch nicht voll ausgereift sind. Alle drei Reifegrade werden meist gemischt angeboten und können in scharfen Wokgerichten und für scharfe Salate verwendet werden.

4, 6 UND 7 HELLGELBE, ROTE UND GRÜNE CHILIS PRIK CHEE FAA

Die Schoten sind länger, etwa 5 cm lang und sind weniger scharf als die kleinen Vogelaugenchilis. Sie können aufgeschnitten, eventuell entkernt, zum Garnieren für Currys verwendet werden und eignen sich für Wokgerichte. Wenn im Rezept von langen Chilischoten die Rede ist, sind *prik chee faa* gemeint.

5 ORANGE CHILISCHOTEN PRIK LÜANG

Diese harmlos aussehende Sorte ist sehr scharf. Sie kann für besonders scharfe Wokgerichte verwendet werden. In der Hauptsache kommt sie aber in Chilisaucen vor, die zu Nudelgerichten gereicht werden. Außerhalb Thailands sind die orangefarbenen Chilischoten kaum zu bekommen. Als Ersatz eignen sich am ehesten die langen Chilis *prik chee faa*.

8 BANANENCHILI PRIK YUARK

Diese Chilischote ist mild im Geschmack, etwa vergleichbar mit der ungarischen Wachspaprika. Sie wird gern als Gemüse in pfannengerührten Gerichten oder für milde Dips wie *nam prik numm* (Seite 29) verwendet.

9 KLEINE GRÜNE UND ROTE VOGELAUGENCHILIS PRIK KII NU SUAN

Die Kleinen sind die schärfsten, haben aber ein blumiges Aroma. Sie werden für viele Currypasten gebraucht, vor allem für die Grüne Currypaste – *gäng kiauw wan*. Sie sind meistens gemischt im Angebot erhältlich. Die grünen sind noch nicht ganz ausgereift, die roten sind etwas schärfer als die grünen. Sie eignen sich sehr gut für die Sauce *nam pla prik* von Seite 28.

SCHARFES HÜHNCHENCURRY
NAM YA BPA GAI SAI KHANOM JIN

Für 4 Personen
500 g Hähnchenschenkel oder -flügel
200 g Hähnchenbrustfilet
2 kleine Stücke Krachai-Wurzel (20 g)
5 Frühlingszwiebeln
1 EL Salz
6–8 g getrocknete kleine rote Chilischoten
200 g weiße Fischbällchen (TK-Fertigprodukt, aufgetaut)
5 EL Fischsauce

Zubereitungszeit:
1 Std. 10 Min.
Pro Portion ca.
285 kcal

1. Die Hähnchenschenkel oder -flügel und das Hähnchenbrustfilet waschen und trocken tupfen. Das Filet in kleine Stücke schneiden. Die Krachai-Wurzel waschen und in 2 cm lange Stücke schneiden. Die Frühlingszwiebeln waschen, putzen und in 2–3 cm lange Stücke schneiden.

2. In einem großen Topf 1 ½ l Wasser aufkochen. Salz, getrocknete Chilischoten, Krachai-Wurzel, Hühnerschenkel oder -flügel und -filet hineingeben. Das Wasser aufkochen, nicht umrühren. Die Hähnchenteile in 10–15 Min. garen.

3. Den Topf vom Herd nehmen. Die Hähnchenbruststücke und die Chilischoten herausfischen und mit etwas Brühe mit dem Pürierstab oder im Mixer pürieren. Zurück in den Topf geben.

4. Die aufgetauten Fischbällchen trocken tupfen und mit der Fischsauce in den Topf geben. Nochmals aufkochen, dann bei kleiner Hitze 20–30 Min. köcheln lassen. Zum Servieren in eine große Schüssel umfüllen und mit den Frühlingszwiebeln bestreuen.

DAZU
Zu diesem relativ flüssigen Curry serviert man in Thailand am liebsten Reisnudeln *khanom jin*. Jasminreis schmeckt aber auch gut dazu.

INFO
Der Name *khanom jin* verrät, woher diese Reisnudeln ursprünglich stammen, denn wörtlich übersetzt bedeutet er: chinesische Süßigkeit oder Dessert. *Khanom jin* sind zarte, weiße, spaghettiartige Nudeln aus Reismehl. Früher gab es in fast jedem Dorf in Thailand eine »Nudelfabrik«.
Diese Nudeln sind heute in Thailand sehr beliebt, und sie werden auch gern zu einem grünen oder roten Curry gegessen. Überall an den Straßen stehen die Nudelverkäufer mit ihren kleinen Tischen, die vollgestellt sind mit Schüsseln mit rohem Gemüse und Kräutern, mit gerösteten Chilischoten, sauer eingelegtem Kohl und Fischsauce. Meist gibt es pro Teller zwei Nudelnester, die mit einem Curry nach Wahl übergossen werden.

CURRY MIT HUHN AUS NORDOST-THAILAND
GÄNG OMM GAI

Für 4 Personen
Für die Currypaste:
1 Stängel Zitronengras
2 rote Schalotten
1 TL Salz
10 getrocknete rote Chilischoten
20 schwarze Pfefferkörner
Für das Curry:
250 g runde grün-weiße Thai-Auberginen
Salz
100 g lange Thai-Bohnen
1 großes Bund Dill
400 g Hähnchenbrustfilet
frisch gemahlener schwarzer Pfeffer und Fischsauce zum Abschmecken

Zubereitungszeit:
30 Min.
Pro Portion ca.
135 kcal

1. Für die Paste äußere Blätter vom Zitronengras entfernen, innere Stängel in feine Röllchen schneiden. Schalotten schälen und in Streifen schneiden. Beides in einem großen Mörser mit dem Salz, den getrockneten Chilischoten und den Pfefferkörnern zu einer homogenen Paste stampfen.

2. Für das Curry die Auberginen waschen, putzen, vierteln und bis zur Verwendung in kaltes Salzwasser legen. Die Thai-Bohnen waschen, putzen und in 2 cm lange Stücke schneiden, den Dill waschen und trocken schütteln, mit den Stängeln in Stücke zupfen. Das Hähnchenbrustfilet waschen, trocken tupfen und in mundgerechte Stücke schneiden.

3. 1 l Wasser im Wok erhitzen, die Paste hineingeben und aufkochen. 1 EL Salz und das Hühnerfleisch zugeben und zugedeckt bei kleiner Hitze ca. 10 Min. köcheln lassen. Auberginen und Thai-Bohnen zugeben, aufkochen, Hitze reduzieren und alles ca. 5 Min. köcheln, bis das Gemüse gar ist. Das Curry bleibt relativ flüssig. Den Dill dazugeben, kurz in die Flüssigkeit drücken. Den Wok vom Herd nehmen und das Curry zugedeckt 1 Min. ziehen lassen. Danach in eine große Schüssel umfüllen und servieren. Pfeffer und Fischsauce zum Nachwürzen dazu reichen.

SÜSSES CHILI-CURRY
NAM PRIK KHANOM JIN

Für 4 Personen
10 kleine getrocknete rote Chilischoten
2 EL Öl
200 g rote Schalotten
30 g saure Tamarindenpaste
1 Bio-Kaffirlimette
300 g ungesalzene Erdnüsse
400 ml Kokosmilch
100 g Palmzucker
½ EL Salz

Zubereitungszeit:
30 Min.
Pro Portion ca.
760 kcal

1. Die Chilischoten im Wok mit 1 TL Öl braun braten, auskühlen lassen und in 1 cm lange Stücke schneiden.

2. Die Schalotten schälen und klein schneiden. Die Tamarindenpaste in wenig Wasser einweichen. Die Kaffirlimette heiß waschen und abtrocknen, vierteln und entkernen.

3. Das übrige Öl im Wok erhitzen und die Schalotten darin anbraten. Die Erdnüsse mit der Kokosmilch im Mixer pürieren und in den Wok geben. Die Tamarinde mit den Fingern ausdrücken und den Saft mit Schalotten, Palmzucker, Limettenschnitzen und Salz dazugeben. Alles bei kleiner Hitze unter ständigem Rühren ca. 15 Min. köcheln, bis es duftet und sich kleine Fettaugen auf der Oberfläche bilden.

4. Das Chili-Curry in eine Schüssel füllen und mit den gerösteten Chilischoten bestreuen.

INFO
Der Geschmack dieses eher trockenen Currys ist süß, sauer, salzig und scharf zugleich. Man isst in Thailand am liebsten Reisnudeln *khanom jin* dazu (Seite 194).

ROTES CURRY MIT HÜHNERFLEISCH
GAI PAD PRIK PHAUW

1. Die kleinen Auberginen waschen und von den Stielen zupfen, die gelben Auberginen waschen, vierteln und das Fleisch abschneiden, es wird nur die Schale verwendet.

2. Die Chilischote waschen, längs aufschneiden, entkernen und in Streifen schneiden. Das Basilikum waschen und trocken schütteln, die Blättchen abzupfen und beiseitelegen. Kaffirlimetten-Blätter waschen und trocken tupfen, vom mittleren Stängel abzupfen und die Hälften in haarfeine Streifen schneiden. Das Hähnchenbrustfilet waschen und trocken tupfen, in mundgerechte Stücke schneiden.

3. 200 ml Kokosmilch im Wok aufkochen, die Currypaste dazugeben und kochen lassen, bis es duftet und sich kleine Fettaugen auf der Oberfläche bilden. Fleisch und Salz dazugeben und unter gelegentlichem Rühren bei mittlerer Hitze ca. 5 Min. köcheln.

4. Die restliche Kokosmilch dazugeben und ohne Rühren aufkochen. Die Auberginen und die Schalen zugeben, umrühren und bei mittlerer Hitze ca. 5 Min. köcheln. Sobald die Auberginen gar sind, Pfefferrispen und Chilistreifen unterheben. Den Wok vom Herd nehmen, Basilikumblätter dazugeben und kurz in die Flüssigkeit drücken. Das Curry zugedeckt ca. 1 Min. ruhen lassen, in eine Schüssel umfüllen und mit den in Streifen geschnittenen Kaffirlimetten-Blättern bestreuen.

Für 4 Personen
20 g erbsengroße Thai-Auberginen
2 gelbe runde Auberginen
1 lange rote Chilischote
1 Bund Thai-Basilikum
3 Kaffirlimetten-Blätter
250 g Hähnchenbrustfilet oder Rinderfilet
400 ml Kokosmilch
1–2 EL Currypaste aus gerösteten Chilischoten (Seite 175)
½ EL Salz
5 frische grüne Pfefferrispen

Zubereitungszeit:
30 Min.
Pro Portion ca.
250 kcal

ROTES CURRY MIT FISCH

SCHARFES FISCHCURRY
NAM YAA KANOM JIN

1. Galgant und Krachai schälen und klein schneiden. Die Schalotten schälen und klein schneiden. Äußere Blätter vom Zitronengras entfernen, innere Stängel waschen und in feine Röllchen schneiden.

2. 700 ml Kokosmilch in einem großen Wok mit Galgant, Krachai, Schalotten, Zitronengras und den getrockneten Chilischoten unter Rühren aufkochen und dann bei kleiner Hitze ca. 20 Min. köcheln lassen. Den Wok vom Herd nehmen, die Zutaten ca. 5 Min. abkühlen lassen und im Mixer pürieren.

3. Die Flüssigkeit durch ein grobmaschiges Sieb zurück in den Wok geben. Die Reste aus dem Sieb nochmals in den Mixer geben und mit der übrigen Kokosmilch pürieren. Wieder durch das grobmaschige Sieb in den Topf geben. Reste aus dem Sieb wegwerfen. Das Kokoscurry aufkochen lassen.

4. Die Fischfilets mit wenig Kokoscurry im Mixer pürieren und in die kochende Flüssigkeit geben, nicht umrühren. Wieder zum Kochen bringen und erst dann umrühren. Die Fischbällchen trocken tupfen und mit Salz oder Fischsauce zum Curry geben. Bei sehr kleiner Hitze ca. 30 Min. unter gelegentlichem Rühren köcheln lassen. Dazu gibt es Reisnudeln, frische Gurkenscheiben und Thai-Basilikum.

Für 4 Personen
1 Galgantwurzel (100 g)
1 Stück frische Krachai-Wurzel (50 g)
5 kleine rote Schalotten
5–6 Stängel Zitronengras
1 l Kokosmilch
5–10 getrocknete rote Chilischoten
300 g gekochtes Fischfilet ohne Gräten (z. B. Pangasius)
200 g weiße Fischbällchen (TK-Fertigprodukt, aufgetaut)
1 EL Salz oder 1 ½ EL Fischsauce

Zubereitungszeit:
1 Std. 10 Min.
Pro Portion ca.
350 kcal

ROTES CURRY MIT FISCH
GÄNG PET PLA

1. Fischfilets waschen, trocken tupfen, in 3 x 3 cm große Stücke schneiden und kühl stellen. Das Kürbisfruchtfleisch in 2 cm große Würfel schneiden. Basilikum waschen, trocken schütteln und die Blättchen abzupfen.

2. In einem großen Wok ½ l Kokosmilch aufkochen, rote Currypaste und Salz dazugeben und unter gelegentlichem Rühren aufkochen lassen, bis sich kleine Fettaugen auf der Oberfläche bilden. Restliche Kokosmilch zufügen und aufkochen lassen, Fisch und Gemüse hineingeben, nicht umrühren.

3. Das Curry bei kleiner Hitze zugedeckt ca. 10 Min. köcheln lassen, bis der Kürbis gar ist. Den Wok vom Herd nehmen, Basilikum zugeben und kurz in die Flüssigkeit drücken. Das Curry ca. 1 Min. ruhen lassen, dann servieren. Evtl. mit Fischsauce abschmecken.

Für 4 Personen
500 g festfleischige, große Fischfilets mit Haut (z. B. Wolfsbarsch, Heilbutt, Schnapper)
250 g gelbes Kürbisfruchtfleisch
1 Bund indisches Basilikum
1 l Kokosmilch
½–1 EL rote Currypaste (Seite 174)
½ EL Salz
evtl. Fischsauce

Zubereitungszeit:
30 Min.
Pro Portion ca.
580 kcal

Für 4 Personen
250 g Rinderfilet
2 lange Thai-Bohnen
50 g Zuckerschoten
30 g erbsengroße Thai-Auberginen
2 frische lange rote Chilischoten
½ Bund afrikanisches Basilikum
5 frische grüne Pfefferrispen
½ l Kokosmilch
½–1 EL rote Currypaste (Seite 174)
½ EL Salz

Zubereitungszeit:
20 Min.
Pro Portion ca.
310 kcal

ROTES CURRY MIT RINDFLEISCH
GÄNG PAD PET NÜA

1. Das Rinderfilet in schmale Streifen schneiden und beiseitestellen. Die Thai-Bohnen waschen und in 2 cm lange Stücke schneiden, die Zuckerschoten waschen und halbieren, die Auberginen waschen und die Stiele abzupfen. Die Chilischoten waschen, putzen, entkernen und längs in schmale Streifen schneiden. Basilikum waschen, trocken schütteln und Blätter abzupfen. Die Pfefferrispen abspülen, abtropfen lassen und beides beiseitelegen.

2. In einem großen Wok 300 ml Kokosmilch mit der Currypaste aufkochen, bis es zu duften beginnt und sich kleine Fettaugen auf der Oberfläche bilden. Das Fleisch dazugeben und bei mittlerer Hitze ca. 5 Min. weiterkochen.

3. Die restliche Kokosmilch hinzufügen, nicht umrühren. Alles nochmals aufkochen lassen, die Thai-Bohnen, die Auberginen und das Salz zugeben und alles kurz umrühren. Das Curry 5–7 Min. weiterköcheln lassen, bis das Gemüse knapp gar ist.

4. Den Wok vom Herd nehmen, Chilistreifen, Pfefferrispen und Basilikumblätter dazugeben und in die Flüssigkeit drücken. Das Curry zugedeckt ca. 1 Min. ruhen lassen. In eine Schüssel umfüllen und servieren.

Für 4 Personen
200 g grün-weiße runde Thai-Auberginen
Salz
1 Bund Thai-Basilikum
500 g Rinderfilet
½ l Kokosmilch
1–2 EL Currypaste aus gerösteten Chilischoten (Seite 175)
1 TL Salz

Zubereitungszeit:
30 Min.
Pro Portion ca.
385 kcal

SCHARFES CURRY MIT RINDFLEISCH UND AUBERGINEN
NÜA PAD PRIK PHAUW

1. Die Auberginen waschen und putzen. Die Früchte jeweils in 6 Stücke schneiden und bis zur Verwendung in kaltes Wasser mit 1 Prise Salz einlegen. Das Basilikum waschen, trocken schütteln und die Blätter abzupfen. Das Fleisch in schmale Streifen oder ca. 1 cm große Würfel schneiden.

2. Die Kokosmilch und die Currypaste im Wok aufkochen. Das Fleisch zugeben und bei mittlerer Hitze ca. 5 Min. in der Kokosmilch köcheln. Die Auberginen zugeben, die Flüssigkeit aufkochen, salzen und alles bei mittlerer Hitze ca. 10 Min. weiterköcheln, bis die Auberginen gar sind.

3. Wok vom Herd nehmen, die Basilikumblätter dazugeben und kurz in die Kokosmilch drücken. Das Curry ca. 2 Min. ruhen lassen, in eine Schüssel umfüllen und servieren.

TIPP

Gekaufte Currypaste aus gerösteten Chilischoten ist oft etwas süßlich. Am besten das Curry probieren und bei Bedarf noch ½ TL Salz zugeben.

ROTES CURRY MIT RINDFLEISCH

GEFLÜGEL UND FLEISCH

DIE KÖNIGLICHE KÜCHE

BESONDEREN WERT LEGTE MAN AUF UNGEWÖHNLICHE KOMBINATIO-NEN. SO WURDEN ZUM SCHARFEN CURRY KNUSPRIG GEBRATENES ODER FRITTIERTES GEREICHT. GEMÜSE WURDEN KUNSTVOLL GESCHNITZT. AUBERGINEN WURDEN ZU DEKORATIVEN BLUMEN, GURKEN- ODER KÜRBISSTÜCKE SAHEN AUS WIE FEIN ZISELIERTE BLÄTTER. KLEINE GERICHTE SERVIERTE MAN IN REICH VERZIERTEN MELONENSCHALEN.

Bis zu Beginn des 20. Jahrhunderts gab es in Bangkok, auch Stadt der Engel genannt, eine große Anzahl von Palästen, die vom König und Adel unterhalten wurden. Die Paläste waren Bastionen der siamesischen Kultur des Hofes. Durch die Modernisierung und Öffnung der »Stadt der Engel« begann sich auch der exotische und aufwändige Lebensstil in den Palästen zu verändern.

Und das Stadtbild wandelte sich. Bürotürme, Hotels Einkaufszentren und Wohnanlagen wurden in großer Eile hochgezogen. Viele der Kanäle, die früher das Stadtbild prägten, wurden zugeschüttet, um darauf Straßen anzulegen, um die chaotische Verkehrslage in der Millionenstadt zu ent-lasten. Neben dem hektischen Großstadtgewühl gibt es aber immer auch Oasen der Ruhe. Man findet sie in den etwa 400 Tempeln der Stadt, in denen in orangefarbene Gewänder gekleidete Mönche in Ruhe der Medita-tion und ihren Alltagstätigkeiten nachgehen. Die wohl schönste Tempelan-lage in Bangkok ist *wat phra kheow,* das »Kloster des Smaragd-Buddhas« mit ihren zahlreichen Tempeln, Hallen und goldenen Buddhafiguren.

BANGKOK KULINARISCH

Auch aus kulinarischer Sicht ist Bangkok sicher eine der spannendsten Städte überhaupt. Hier sind fast alle Küchen der Welt vertreten, viele von hohem Standard, die Dichte der Restaurants und Lokale pro Quadrat-kilometer scheint unübertroffen. Hinzu kommen die unzähligen Straßen-küchen und Stände, an denen köstliche Kleinigkeiten verkauft werden.

Die zwei typischen Küchen der Hauptstadt sind die chinesische und die Palastküche, die mit ihren Spezialitäten durchaus als eigenständig zu betrachten ist.

PALASTKÜCHE – KUNSTVOLL UND AUFWÄNDIG

Die königliche Küche repräsentiert die elegante, raffinierte Seite der thailändischen Kochkunst. Ihre im Lauf der Jahrhunderte am Hof kreierten Gerichte werden oft aufwendig und kunstvoll präsentiert. So war es beispielsweise am siamesischen Hof üblich, dass die adligen Damen für religiöse Feiern Leckerbissen für die verehrten Mönche zubereiteten. Dazu gehörten *khanom bueng,* kleine, gefüllte Crêpes, *khanom thom khao* und *khanom thom daeng,* süße weiße und rote Reisbällchen.

Die Aufgaben der Damen am Königshof, die in eigenen Palästen residierten, welche nur vom König und seinen jugendlichen Söhnen betreten werden durften, waren vielfältiger Natur. Je nach Stellung bei Hofe und je nach Fertigkeit waren sie mit der Führung des königlichen Haushalts betraut. So oblag den Königinnen, Konkubinen und Hofdamen die Ausführung der traditionellen Künste, wie die Zubereitung von Betelpäckchen, das Kochen, das Gemüse- und Obstschnitzens sowie das Blumenflechten, Weben und die Parfümherstellung. Bei der alten thailändischen Kunst des Obst- und Gemüseschnitzens entstanden in geduldiger Kleinarbeit Blumenkunstwerke aus Wassermelonen, dekorative Serviergefäße aus Kürbissen, naturgetreue Chrysanthemenblüten, Rosen, Fische und andere Tiere aus Möhren und Gurken, Chilischoten und Zwiebeln, Papaya und Ananas.

Dabei standen die Frauen der verschiedenen Paläste in regem Wettbewerb, dessen Ergebnisse dem Volk regelmäßig kundgetan wurde. Adlige Familien sandten ihre Töchter in diese Häuser, um diese Künste zu erlernen. Das Bild der Hofdamen änderte sich nach den politischen Unruhen im Jahr 1932 und der Einführung der konstitutionellen Monarchie. Nun wurden die ehemals den Privilegierten vorbehaltenen Künste auch unter das Volk gebracht. In einem ehemaligen Palast richtete man eine Schule ein, in der seither auch nicht adelige Frauen und Männer die Künste des Palastes erlernen konnten. So entstand eine eigene Berufsgruppe der Obst- und Gemüseschnitzer, ein bis heute hoch angesehenes Kunsthandwerk.

FREILANDHUHN MIT THAI-KRÄUTERN

FREILANDHUHN MIT THAI-KRÄUTERN
GAI OP SAMUNPRAI BAI TOI

Für 4 Personen

10	Pandanusblätter (Seite 293)
3	Stängel Koriandergrün mit Wurzel
1	Stück Galgantwurzel (5 g)
1 EL	Korianderkörner
1 EL	schwarze Pfefferkörner
100 ml	Öl
100 ml	ungesüßte Kondensmilch
1 EL	helle Sojasauce
1 TL	Salz
2 EL	Honig
1	Freilandhuhn (ca. 1 ½ kg)

Zubereitungszeit:
30 Min.
Marinierzeit:
mind. 12 Std.
Garzeit:
2–2 ½ Std.
Pro Portion ca.
750 kcal

1. Die Pandanusblätter waschen und in ca. 1 cm breite Stücke schneiden. Koriander mit Wurzel waschen, trocken schütteln und etwas zerkleinern. Die Galgantwurzel sparsam schälen und klein hacken. Die vorbereiteten Zutaten mit den Koriander- und Pfefferkörnern in einem großen Mörser gut stampfen. Öl, Kondensmilch, Sojasauce, Salz und Honig zur gestampften Paste geben und alles gut vermischen.

2. Das Huhn innen und außen gut waschen und trocken tupfen. Mit der Paste rundherum einreiben, übrige Paste in den Bauch füllen. Das Huhn in eine große Schüssel legen und mit Frischhaltefolie abgedeckt mindestens 12 Std. im Kühlschrank marinieren lassen.

3. Das Huhn aus dem Kühlschrank holen und ca. 30 Min. bei Zimmertemperatur ruhen lassen. Dann die Marinade mit den Händen gut in das Huhn einmassieren.

4. Das Huhn auf ein Backblech mit Grillrost legen und in die Mitte des kalten Ofens schieben. Den Ofen auf 200° (Umluft 180°) stellen und das Huhn 2–2 ½ Std. braten, gelegentlich mit der austretenden Flüssigkeit übergießen.

5. Das Huhn aus dem Ofen nehmen, in Stücke schneiden und warm servieren. Oder abkühlen lassen und kalt genießen.

DAZU
Zum Huhn mit Thai-Kräutern passt der Knoblauchreis oder Ananasreis (beide Seite 149). Auch gedämpftes oder rohes Gemüse wird gern dazu gegessen.

HÄHNCHENBRUSTFILET MIT CHILI UND BASILIKUM
PAD GRAPAU GAI SAI TUA FAK YAO

1. Den Knoblauch schälen, die Chilis waschen und putzen. Beides im Mörser gut stampfen. Das Basilikum waschen und gut trocken schütteln, Blättchen und Blüten abzupfen und in einem Schälchen beiseitestellen.

2. Die Thai-Bohnen waschen, putzen und in 2 cm lange Stücke schneiden. Das Hähnchenbrustfilet waschen und trocken tupfen. Hähnchenbrust- oder Schweinefilet in feine Streifen schneiden.

3. Das Öl im Wok erhitzen und die Paste darin anbraten, bis es fein nach Chili und Knoblauch duftet. Die Fleischstreifen dazugeben und bei großer Hitze ca. 5 Min. unter Rühren anbraten.

4. Die Bohnen dazugeben und das Gericht mit Austernsauce, Sojasauce und Zucker würzen. Unter Rühren ca. 5 Min. weiterbraten, bis die Bohnen gar sind. 3 EL Wasser unterrühren. Die Basilikumblättchen untermischen und den Wok vom Herd nehmen. Das Gericht auf einer Platte anrichten und mit weißem Pfeffer abschmecken. Falls vorhanden, mit den Basilikumblüten garnieren.

DAZU
Jasminreis (Seite 145) oder auch der gebratene Reis mit Eiern (Seite 151) passen gut dazu.

TIPP
Dieses Gericht ist in Thailand sehr beliebt. Die Schärfe wird durch die Zugabe von mehr oder weniger Chilis nach Belieben variiert. Man kann auch noch frische rote Chilistreifen darüberstreuen. Viele Thais essen das Gericht gern mit einem Spiegelei obendrauf.

Für 4 Personen
10–15 kleine Knoblauchzehen
10 Vogelaugenchilis
1 Bund indisches Basilikum, evtl. mit Blüten
150 g lange Thai-Bohnen
200 g Hähnchenbrust- oder Schweinefilet
2 EL Öl
3 EL vegetarische Austernsauce
1 EL helle Sojasauce
1 TL Zucker
frisch gemahlener weißer Pfeffer

Zubereitungszeit:
20 Min.
Pro Portion ca.
180 kcal

Für 4 Personen
250 g Hähnchenbrustfilet
2 EL Tempuramehl
½ TL Salz
1 ½ EL Palmzucker
½ l Öl zum Frittieren
1 reife Ananas (ca. 400 g)
5 Knoblauchzehen
1 Zwiebel
1 große Fleischtomate
3 Frühlingszwiebeln
2 EL Öl
4 EL Tomatenketchup
2 EL vegetarische Austernsauce
2 EL Reisessig
evtl. grob gemahlener schwarzer Pfeffer

Zubereitungszeit:
30 Min.
Marinierzeit:
30 Min.
Pro Portion ca.
300 kcal

HÄHNCHENBRUST SÜSSSAUER

GAI PAD PRIAU WAN

1. Das Hähnchenfleisch waschen, trocken tupfen und in ca. 1 cm breite Streifen schneiden. Tempuramehl mit Salz und ½ EL Palmzucker in einer Schüssel mischen, das Fleisch darin wenden, mit 2 EL kaltem Wasser anfeuchten und alles gut vermischen. 30 Min. im Kühlschrank marinieren.

2. Die Ananas schälen, vierteln, den Strunk entfernen, die Viertel in 2 cm dicke Stücke schneiden. Knoblauch schälen und fein hacken. Die Zwiebel schälen, halbieren und in breite Streifen schneiden. Die Tomate waschen und ohne Stielansatz würfeln. Frühlingszwiebeln putzen, klein schneiden.

3. Das Öl zum Frittieren in Wok erhitzen, das Fleisch portionsweise in ca. 2 Min goldbraun frittieren, herausheben und auf Küchenpapier entfetten.

4. Das Frittieröl aus dem Wok gießen. 2 EL frisches Öl erhitzen. Den Knoblauch anbraten, Ananas, Tomate und Zwiebel dazugeben und ca. 4 Min. braten. Tomatenketchup, Austernsauce, Essig, übrigen Palmzucker und 100 ml Wasser unterrühren. Unter Rühren aufkochen, das Fleisch dazugeben und ca. 2 Min. weitergaren. Mit Pfeffer abschmecken, die Frühlingszwiebel unterheben und das Gericht auf einer Platte anrichten.

Für 4 Personen
300 g Hähnchenbrustfilet
4 EL Öl
½ EL Tempuramehl
3 EL vegetarische Austernsauce
½ EL helle Sojasauce
½ EL Palmzucker
½ TL frisch gemahlener weißer Pfeffer
1 Salatgurke
10–15 Knoblauchzehen
300 ml Öl zum Braten
evtl. frisch gemahlener schwarzer Pfeffer

Zubereitungszeit:
20 Min.
Marinierzeit:
30 Min.
Pro Portion ca.
315 kcal

GEBRATENE HÄHNCHENBRUST MIT KNOBLAUCH

GAI THOD GRATIEM

1. Das Hähnchenbrustfilet waschen und trocken tupfen. In ca. 1 x 2 cm große Streifen schneiden und in einer Schüssel mit 1 EL Öl, Tempuramehl, Austernsauce, Sojasauce, Palmzucker und dem weißen Pfeffer vermischen. Zugedeckt im Kühlschrank ca. 30 Min. marinieren.

2. Die Salatgurke schälen und in Scheiben schneiden. Den Knoblauch schälen und nicht zu fein hacken. Die übrigen 3 EL Öl im Wok stark erhitzen und den Knoblauch darin knusprig braten. Achtung, er wird sehr schnell braun! Mit der Schaumkelle herausheben und auf Küchenpapier abtropfen lassen.

3. Das Fleisch aus dem Kühlschrank holen. Das Öl zum Braten im Wok stark erhitzen und die Fleischstreifen darin portionsweise knusprig braten. Das Fleisch mit der Schaumkelle herausheben, auf Küchenpapier abtropfen lassen und auf eine Platte geben. Mit dem knusprigen Knoblauch bestreuen und mit schwarzem Pfeffer würzen. Die Gurkenscheiben dazu servieren.

HÄHNCHENBRUST SÜSSSAUER

HÄHNCHENBRUST MIT CASHEWNÜSSEN
GAI PAD MED MAMUANGHIMAPAN

1. Das Hähnchenbrustfilet waschen und gut trocken tupfen. In feine Streifen schneiden und in einer Schüssel mit Salz, Zucker, Tempuramehl und 1 EL kaltem Wasser gut vermischen. Zugedeckt im Kühlschrank ca. 30 Min. marinieren.

2. Das Öl zum Frittieren in einem großen Wok stark erhitzen. Die Hühnerfleischstreifen portionsweise im heißen Öl goldbraun frittieren. Herausheben und auf Küchenpapier abtropfen lassen. Die Cashewnüsse im selben Öl unter ständigem Rühren in ca. 2 Min. goldbraun braten, herausheben und ebenfalls auf Küchenpapier abtropfen lassen. Die getrockneten Chilischoten in den Wok geben und ca. 1 Min. frittieren. Auf Küchenpapier abtropfen lassen. Das Öl etwas abkühlen lassen, aus dem Wok gießen und evtl. nochmals zum Frittieren verwenden.

3. Den Knoblauch schälen und fein schneiden. Die Zwiebel ebenfalls schälen und in ca. 10 Schnitze schneiden. Die Frühlingszwiebeln waschen, putzen und in 2 cm lange Stücke schneiden, beiseitestellen.

4. 3 EL frisches Öl im Wok erhitzen, den Knoblauch kurz darin anbraten, dann die Zwiebeln dazugeben und ca. 3 Min. mitbraten. Die Austernsauce zugeben und unterrühren, alles kurz weiterköcheln, bis die Zwiebeln gar sind. 200 ml Wasser unterrühren. Zum Kochen bringen, das Hühnerfleisch und die abgetropften Wasserkastanien dazugeben und untermischen, dann die Cashewnüsse ebenfalls unterrühren.

5. Den Wok vom Herd nehmen, die Frühlingszwiebeln über das Gericht streuen, mit weißem Pfeffer abschmecken und alles auf einer Platte anrichten.

DAZU
Jasminreis (Seite 145) oder auch gebratener Reis mit Gemüse (Seite 153) passen gut dazu. Außerdem die Fischsauce mit Chili (Seite 28) zum individuellen Nachwürzen.

Für 4 Personen
300 g Hähnchenbrustfilet
½ TL Salz
1 EL Zucker
3 gestr. EL (ca. 30 g) Tempuramehl
½ l Öl zum Frittieren
100 g ungesalzene Cashewnüsse
2–3 kleine getrocknete rote Chilischoten
5 Knoblauchzehen
1 große Zwiebel
5 Frühlingszwiebeln
3 EL Öl
4 EL vegetarische Austernsauce
100 g Wasserkastanien (Dose)
frisch gemahlener weißer Pfeffer

Zubereitungszeit:
30 Min.
Marinierzeit:
30 Min.
Pro Portion ca.
565 kcal

HUHN MIT INGWER
KHAO MAN GAI

1. Das Huhn waschen und trocken tupfen, mit Salz rundherum einreiben und ca. 10 Min. ruhen lassen.

2. Die Hühnerbrühe in einen großen Topf geben, das Huhn hineinlegen und die Brühe ohne Rühren zum Kochen bringen. Das Huhn bei kleiner Hitze ca. 40 Min. köcheln, bis es gar ist. Inzwischen den Ingwer sparsam schälen und in feine Scheiben schneiden, die Pandanusblätter waschen, halbieren und je 4 zu einem Knoten binden. Den Knoblauch schälen und fein schneiden.

3. Für die Sauce den Knoblauch schälen, den Ingwer sparsam schälen, die Hälfte davon klein schneiden und beiseitelegen, den Rest in 3 Stücke schneiden. Die Chilis waschen und die Stiele abzupfen. Alles in einen Mörser geben und gut stampfen (oder im Zerhacker zerkleinern und dann im Mörser stampfen). Danach die Sojabohnenpaste, den Limettensaft, die beiden Sojasaucen und den Palmzucker zugeben, gut durchmischen. In ein Schälchen umfüllen und mit dem fein geschnittenen Ingwer bestreuen.

4. Das Öl in einem großen Topf erhitzen und den fein geschnittenen Knoblauch darin anbraten. Den Reis zugeben und bei mittlerer Hitze 4–5 Min. unter Rühren braten. ½ l von der Brühe zugießen, die Ingwerscheiben und die Pandanusblätter beigeben und bei kleiner bis mittlerer Hitze unter gelegentlichem Umrühren zugedeckt ca. 25 Min. garen. Sollte der Reis zu trocken werden, etwas Brühe nachgießen. Während der Reis kocht, das Huhn aus der Brühe nehmen, die Haut abziehen, das Fleisch ablösen, in Scheiben schneiden und warm stellen. Die Gurke schälen, halbieren und schräg in Scheiben schneiden.

5. Den Reis, sobald er gar ist, zugedeckt bei ganz kleiner Hitze weitere 5–10 Min. ziehen lassen. Das Hühnerfleisch auf einer Platte anrichten. Die Pandanusblätter aus dem Reis fischen, den Reis in eine Schüssel umfüllen und mit dem Hühnerfleisch und der Sauce servieren. Die Gurkenscheiben dazu reichen.

TIPP
Die restliche Hühnerbrühe aufkochen, eventuell mit Salz und weißem Pfeffer abschmecken und mit Korianderblättchen bestreut zum Huhn servieren.

Für 6–8 Personen
Für das Huhn:
1 kleines Huhn (ca. 1 kg)
1 TL Salz
2 l Hühnerbrühe
1 Stück Ingwer (50 g)
4 Pandanusblätter (Seite 293)
8 Knoblauchzehen
2 EL Öl
300 g Jasminreis
Für die Sauce:
8 große Knoblauchzehen (30 g gehackt)
1 Stück Ingwer (ca. 20 g)
5–7 Vogelaugenchilis (ca. 20 g)
1 EL Sojabohnenpaste
3 EL Limettensaft
3 EL helle Sojasauce
1 TL dunkle Sojasauce
2 TL Palmzucker
Außerdem:
1 Salatgurke

Zubereitungszeit:
1 Std. 45 Min.
Bei 8 Portionen pro Portion ca.
445 kcal

GEDÄMPFTES SCHWEINEFLEISCH MIT LIMETTE

GEDÄMPFTES SCHWEINEFLEISCH MIT LIMETTE
MUH NÜNG MANAO

1. Die Shiitakepilze ca. 20 Min. in warmem Wasser einweichen. Stiele abschneiden und die Hüte vierteln. Knoblauch schälen und fein hacken, die Korianderwurzel waschen und mit einem Messer leicht quetschen.

2. Das Bauchfleisch in 2–3 Stücke, das Schweinefilet in ca. 3 cm dicke Scheiben schneiden, mit Limettensaft, Sojasauce, Knoblauch, Koriander, Shiitakepilzen und Öl gut mischen und ca. 30 Min. im Kühlschrank marinieren.

3. Die Möhre schälen und in feine Streifen schneiden, die Limette heiß waschen, abtrocknen und in dünne Scheiben schneiden. Frühlingszwiebeln waschen, putzen und in 5 cm lange Stücke schneiden. Chilis waschen, putzen und in feine Ringe schneiden und beiseitestellen.

4. Das Bauchfleisch mit der Marinade auf einer Platte im Dampfgarer bei mittlerer Hitze ca. 25 Min. garen. Filet, Limettenscheiben und die Möhre dazugeben und alles noch ca. 15 Min. garen.

5. Chilis und Frühlingszwiebeln aufstreuen und das Gericht zugedeckt ca. 2 Min. ruhen lassen. Mit schwarzem Pfeffer abschmecken und servieren.

Für 4 Personen

4	getrocknete Shiitakepilze
5	Knoblauchzehen
1	Korianderwurzel
200 g	frischer Schweinebauch
300 g	Schweinefilet
2 EL	Limettensaft
2 EL	helle Sojasauce
1 EL	Öl
1	kleine Möhre
1	Bio-Limette
3	Frühlingszwiebeln
2–4	Vogelaugenchilis
	grob gemahlener schwarzer Pfeffer

Zubereitungszeit:
1 Std.
Marinierzeit:
30 Min.
Pro Portion ca.
270 kcal

SCHWEINEBAUCH MIT SAUER EINGELEGTEM PAK CHOI
KHAO KHA MUH PAGGAD DOHNG

1. Den Pak Choi abtropfen lassen und mindestens 12 Std. bei Zimmertemperatur trocknen lassen.

2. Das Fleisch in 4 Stücke schneiden. Korianderwurzeln waschen und leicht quetschen, den Knoblauch schälen und ebenfalls quetschen. Das Fleisch in einem Topf mit Wasser bedecken. Korianderwurzeln, Knoblauch, Fünf-Gewürz-Mischung, Zucker und beide Sojasaucen zugeben, aufkochen und zugedeckt bei mittlerer Hitze ca. 1 Std. köcheln lassen.

3. Inzwischen für die Sauce die Chilischote waschen, putzen und in dünne Ringe schneiden. In einem Schälchen Reisessig, Sojasauce und Palmzucker vermischen, die Chiliringe dazugeben.

4. Ca. 5 Min. vor Ende der Garzeit den Pak Choi zum Fleisch geben. Fleisch und Senfkohl aus dem Topf heben und in Stücke schneiden. Auf eine Platte geben, mit Garflüssigkeit übergießen und mit Jasminreis (Seite 145) und der Würzsauce servieren.

Für 4 Personen

200 g	sauer eingelegter Pak Choi (Seite 298)
600 g	frischer Schweinebauch
3	Korianderwurzeln
5	Knoblauchzehen
2 TL	chinesische Fünf-Gewürz-Mischung
1 EL	Palmzucker
6 EL	helle Sojasauce
1 EL	dunkle Sojasauce
	Für die Würzsauce:
1	lange Chilischote
5 EL	Reisessig
1 TL	dunkle Sojasauce
½ TL	Palmzucker

Zubereitungszeit:
1 Std. 20 Min.
Trockenzeit:
12 Std.
Pro Portion ca.
465 kcal

GESCHMORTES SCHWEINEFLEISCH MIT PALOH-GEWÜRZMISCHUNG
MUH PALOH

Für 4 Personen

4 getrocknete Shiitakepilze

5 Stängel Koriandergrün mit Wurzeln

1 großes Stück Galgantwurzel (ca. 50 g)

5 große Knoblauchzehen

10 schwarze Pfefferkörner

250 g Schweinefleisch (z. B. Schulter)

200 g fester Tofu

5 EL Öl

2–3 Sternanis

5 Gewürznelken

Salz

50 g Palmzucker

4 hart gekochte Eier

1 EL helle Sojasauce

1 Stück Kassiarinde (ca. 5 cm lang, ersatzweise 1 Zimtstange)

evtl. 3 Frühlingszwiebeln

Zubereitungszeit:
50 Min.

Garzeit:
50 Min.

Pro Portion ca.
530 kcal

1. Die Shiitakepilze mindestens 20 Min. in warmem Wasser einweichen, danach die Stiele abschneiden und die Hüte vierteln.

2. Den Koriander mit den Wurzeln waschen und trocken schütteln, die Wurzeln für die Paste abschneiden, zerkleinern und in den Mörser geben. Die Blättchen abzupfen und zur Seite legen. Die Galgantwurzel schälen, zwei Drittel klein schneiden, das übrige Drittel in Scheiben schneiden und beiseitelegen. Den Knoblauch schälen und grob hacken. Klein geschnittenen Galgant, Knoblauch und die schwarzen Pfefferkörner zu den Korianderwurzeln in den Mörser geben und gut stampfen.

3. Das Schweinefleisch in 2–3 cm große Stücke, den Tofu in 2 cm große Würfel schneiden.

4. 1 EL Öl in einem großen Wok erhitzen. Den Tofu hineingeben und goldgelb braten. Herausnehmen und beiseitestellen. Das restliche Öl erhitzen und die Gewürzmischung mit dem Sternanis und den Gewürznelken anbraten, bis es fein duftet. Das Schweinefleisch dazugeben und kräftig anbraten. Mit ½ EL Salz und Palmzucker würzen und ca. 1 Min. unter Rühren weiterbraten.

5. 1 l Wasser dazugießen und aufkochen lassen, nicht umrühren. Die Eier pellen. Sobald die Flüssigkeit kocht, Pilze, Sojasauce, Galgantscheiben, Kassiarinde, 1 TL Salz, Eier und den Tofu zugeben und alles bei kleiner Hitze 40–50 Min. köcheln lassen. Den Schaum abschöpfen.

6. Die Brühe mit dem Fleisch und den anderen Zutaten in eine große Schüssel umfüllen, mit Korianderblättchen bestreuen. Nach Belieben die Frühlingszwiebeln waschen, putzen, in Röllchen schneiden und ebenfalls aufstreuen.

DAZU
Sojasauce und frisch gemahlenen weißen Pfeffer zum Nachwürzen dazu reichen. Mit Jasminreis (Seite 145) oder gebratenem Reis mit Knoblauch (Seite 149) servieren.

SCHWEINEFLEISCH IN CHINESISCHER KRÄUTERMISCHUNG
MUH DTUNN

1. Die Schweinerippchen in Stücke schneiden, das Fleisch in ca. 2 cm dicke Scheiben schneiden. Beides mit der Sojasauce vermischen und bei Zimmertemperatur etwas ruhen lassen. Die Shiitakepilze ca. 20 Min. in warmem Wasser einweichen. Die Stiele abschneiden, die Hüte je nach Größe halbieren oder vierteln. Die Knoblauchzehen schälen und halbieren.

2. Die Koriandersamen im Wok ohne Fett ca. 1 Min. rösten, bis sie duften. Auskühlen lassen. In einem großen Topf 1 ½ l Wasser aufkochen. Knoblauch, Pilze, alle Gewürze und das Salz dazugeben und noch einmal aufkochen.

3. Die Schweinerippchen und das Fleisch dazugeben und aufkochen lassen, nicht umrühren. Sobald die Brühe kocht, den Topf halb zudecken und das Fleisch bei kleiner Hitze ca. 1 Std. köcheln lassen. Die Frühlingszwiebeln waschen, putzen und in feine Röllchen schneiden.

4. Das Fleisch mit der Brühe in eine Schüssel füllen, die Gewürze soweit möglich herausfischen. Mit Frühlingszwiebeln und nach Belieben mit abgezupften Korianderblättchen bestreuen und mit Jasminreis servieren.

TIPP

In Thailand bekommt man die fertige Gewürzmischung *dtunn* für dieses Gericht in jedem Supermarkt. Nehmen Sie doch ein paar Päckchen mit, wenn Sie Urlaub in Thailand machen. Die Mischung ist lange haltbar.

Für 4 Personen
250 g Schweinerippchen
300 g Schweinefleisch zum Schmoren (z. B. Schulter)
3 EL helle Sojasauce
4 getrocknete Shiitakepilze
5 große Knoblauchzehen
½ EL Koriandersamen
20 getrocknete Blütenknospen der Tigerlilie
1 ½ EL Gojibeeren
1 ½ EL schwarze Pfefferkörner
2 Kardamomkapseln
1 Stück Zimtstange (5 cm)
5 Sternanis
1 TL Salz
2 Frühlingszwiebeln
evtl. 1 Bund Koriandergrün

Zubereitungszeit:
1 Std. 15 Min.
Pro Portion ca.
300 kcal

GEBRATENES SCHWEINEFLEISCH MIT ANANAS
MUH PAD SAPPAROT

Für 4 Personen
300 g Schweinefilet
3 ½ EL vegetarische Austernsauce
1 EL helle Sojasauce
3 EL Öl
1 TL Zucker
1 reife Ananas (ca. 500 g)
5 Knoblauchzehen
1 große Frühlingszwiebel
frisch gemahlener schwarzer Pfeffer

Zubereitungszeit:
25 Min.
Pro Portion ca.
235 kcal

1. Das Fleisch in mundgerechte Stücke schneiden und in einer Schüssel mit 2 EL Austernsauce, Sojasauce, 1 EL Öl und dem Zucker vermischen. Zugedeckt ca. 10 Min. im Kühlschrank marinieren.

2. Die Ananas schälen, vierteln, den harten Strunk aus der Mitte herausschneiden und das Fruchtfleisch in 2 cm breite Stücke schneiden. Den Knoblauch schälen und fein hacken. Die Frühlingszwiebel waschen, putzen und in 2 cm lange Stücke schneiden.

3. Die übrigen 2 EL Öl im Wok erhitzen und den Knoblauch darin hellgelb anbraten. Das Fleisch dazugeben und bei großer Hitze ca. 3 Min. braten. Die Ananasstücke und die übrige Austernsauce zugeben und ca. 5 Min. unter gelegentlichem Rühren weiterbraten. Falls die Ananas zu wenig Wasser zieht und das Gericht zu trocken sein sollte, etwas Wasser zugegeben und nochmals aufkochen.

4. Den Wok vom Herd nehmen und die Frühlingszwiebel über das Gericht streuen. Alles auf einer Platte anrichten und mit schwarzem Pfeffer abschmecken. Mit Jasminreis (Seite 145) oder gebratenem Reis mit Knoblauch (Seite 149) servieren.

MARINIERTES SCHWEINEFLEISCH MIT BABYMAISKOLBEN
PAD MUH MAK SAI KHAOPHOD OHN

1. Das Fleisch in mundgerechte Stücke schneiden und mit Tapiokamehl oder Speisestärke, 1 EL Austernsauce, 1 EL Öl, der Sojasauce und dem Zucker in einer Glasschüssel gut vermischen. Zugedeckt ca. 30 Min. im Kühlschrank marinieren lassen.

2. Inzwischen die Babymaiskolben waschen und schräg in 5 cm lange Stücke schneiden. Den Knoblauch schälen und fein hacken. Die Frühlingszwiebeln waschen, putzen und in 2 cm lange Stücke schneiden.

3. Die übrigen 2 EL Öl im Wok erhitzen, den Knoblauch hineingeben und goldgelb braten. Das Fleisch hinzufügen und bei großer Hitze ca. 2 Min. kräftig anbraten. Die Babymaiskolben und die restliche Austernsauce dazugeben und bei mittlerer Hitze unter gelegentlichem Rühren ca. 5 Min. weiterbraten. 4 EL Wasser zugeben und die Flüssigkeit nochmals aufkochen lassen.

4. Den Wok vom Herd nehmen und die Frühlingszwiebeln aufstreuen. Das Gericht auf einer Platte anrichten und mit schwarzem Pfeffer abschmecken.

DAZU
Zu diesem Gericht passt am besten Jasminreis (Seite 145).

Für 4 Personen

300 g	Schweinefilet
1 TL	Tapiokamehl oder Speisestärke
3 EL	vegetarische Austernsauce
3 EL	Öl
1 EL	helle Sojasauce
1 TL	Zucker
200 g	Babymaiskolben
5	Knoblauchzehen
5	kleine Frühlingszwiebeln
	grob gemahlener schwarzer Pfeffer

Zubereitungszeit:
15 Min.
Marinierzeit:
30 Min.
Pro Portion ca.
240 kcal

STRASSENKÜCHEN

STRASSENHÄNDLER UND STRASSENKÜCHEN MIT IHREN EINFACHEN, OFT MOBILEN VERKAUFSTÄNDEN UND KÜCHEN SIND ÜBERALL IM GANZEN LAND VON FRÜHMORGENS BIS SPÄT IN DIE NACHT ANZUTREFFEN. SIE BIETEN DIE VERSCHIEDENSTEN LECKEREIEN ZU GÜNSTIGEN PREISEN AN.

Da das Essen zu den beliebtesten Freizeitbeschäftigungen der Thais gehört, machen die Garküchen allzeit gute Geschäfte und gehören mit zu den angenehmsten Dingen dieses mit Schönheit und Anmut gesegneten Landes. Und weil Essen und Genießen im Alltag einen so hohen Stellenwert haben, ist die Qualität der Straßenküchen durchweg gut. Auf Schritt und Tritt, an jeder Kreuzung, entlang der vielen kleinen und größeren Straßen, rund um Bürogebäude, Gemeindehäuser und Tempelanlagen, in Parks und selbst auf dem Krankenhausgelände stößt man auf sie. Vor allem mittags und abends vor dem großen Ansturm schieben die Besitzer ihre Stände, Tische und Stühle auf die Bürgersteige, sodass es schier kein Durchkommen mehr gibt. Überall, wo Menschen arbeiten, sich vergnügen und zusammentreffen, gibt es mindestens eine oder mehrere Garküchen. Auch für ausländische Reisende ist das Essen auf der Straße eine erste verlockende Begegnung, um die Thai-Küche entdecken und lieben zu lernen. Das Angebot ist vielfältig und bildet ein buntes Mosaik der verschiedenen Kulturen, die das Land, seine Kultur und seine kulinarische Welt geprägt haben.

WACHSTUM DER STÄDTE

Die Entstehung dieser bunten Straßenküchen-Welt ist der rasanten Entwicklung des Landes, seinen seit Jahrhunderten währenden regen Handelstätigkeiten und vor allem chinesischen Einwanderern zu verdanken. Mit dem Wachstum von Städten und Handelszentren mussten immer mehr Menschen versorgt werden. Im Zuge dessen wuchsen auch die Lebensmittelmärkte, auf denen Frauen, Köche und Diener ihre frischen Zutaten besorgten. Damit sich die Händler und ihre Kunden zwischen Verkauf und Kauf ein wenig stärken konnten, errichteten andere kleine Garküchen, an denen man sich zwischendurch eine köstliche Kleinigkeit einverleiben und zugleich ein gemütliches Schwätzchen mit den Nachbarn halten konnte.

CHINATOWN

Chinesische Einwanderer verdienten in den Städten ihren Lebensunterhalt als die ersten fliegenden Händler. Vor über 200 Jahren entstand an den Ufern des Chao Phraya Bangkoks Chinatown. Heute ist dieses quirlige, unübersichtliche Stadtviertel – eine der ältesten chinesischen Siedlungen außerhalb Chinas – Mittelpunkt von Kleinhandel und Wirtschaft und zugleich Zentrum der thailändisch-chinesischen Küche. Um die am Fluss und seinen vielen Kanälen *(klongs)* gelegenen Häuser einfacher mit Waren versorgen zu können, errichteten die Händler in kleinen Booten auch mobile Küchen, um hier neben Obst und Gemüse auch warme Speisen anzubieten. Heute sieht man auf den schwimmenden Märkten nach wie vor ganze Familien in diesen Booten, die auf kleinen Holzkohlebecken oder Gasbrennern Suppen und Snacks zubereiten.

NUDELN FÜR ALLE

Nudeln gehören heute immer noch zu den beliebtesten Essen auf der Straße. In den einfachen Nudelküchen sitzen Hausfrauen neben Polizisten, Schüler neben Lehrern und einfache Arbeiter neben Beamten. Was für alle wirklich zählt, ist einzig der gute Geschmack des bestellten Gerichts.

Auf den Tischchen an den Ständen stehen die Gewürze, Löffel und Stäbchen bereit. Und überall, wo Stühle oder Hocker stehen, kann man auch Wasser zum Trinken bekommen. Oft kann man sich an einem Nachbarstand einen Fruchtsaft, einen kühlen Kräutertee, einen Softdrink oder einen Tee holen. Nach dem Essen hat man dann die Qual der Wahl in Sachen Dessert, denn in der Nähe gibt es sicher einen Stand mit Süßigkeiten und Nachspeisen. Und sollte man nach zwei oder drei Stunden wieder ein leichtes Hungergefühl verspüren, so läuft man einfach wieder die Straße entlang und sieht sich um, bis man die nächste feine Kleinigkeit gefunden hat.

RINDFLEISCH MIT AUSTERNSAUCE
NÜA PAD NAM MANHOY

Für 4 Personen
400 g Rinderfilet
3 EL ungesüßte Kondensmilch
½ EL Palmzucker
2 ½ EL vegetarische Austernsauce
5 EL Öl
200 g frische Shiitakepilze oder andere Pilze nach Wahl
1 Zwiebel
5 Knoblauchzehen
4 Frühlingszwiebeln
1 EL helle Sojasauce
grob gemahlener schwarzer Pfeffer

Zubereitungszeit:
15 Min.
Marinierzeit:
30 Min.
Pro Portion ca.
325 kcal

1. Das Fleisch in mundgerechte Stücke schneiden und mit Kondensmilch, Palmzucker, 1 EL Austernsauce und 2 EL Öl in einer Glasschüssel gut vermischen. Zugedeckt im Kühlschrank ca. 30 Min. marinieren lassen.

2. Die Pilze putzen, harte Stiele abschneiden und große Pilze halbieren. Die Zwiebel schälen, halbieren und in Streifen schneiden. Den Knoblauch schälen und fein hacken. Die Frühlingszwiebeln waschen, putzen und in 2 cm lange Stücke schneiden.

3. Die übrigen 3 EL Öl im Wok erhitzen. Den Knoblauch hineingeben und goldgelb braten. Die Pilze hinzufügen und ca. 3 Min. anbraten. Fleisch, Zwiebeln, Sojasauce und die restliche Austernsauce zugeben und 3–5 Min. unter Rühren anbraten. 2 EL Wasser zugeben, nochmals aufkochen.

4. Den Wok vom Herd nehmen, die Frühlingszwiebeln aufstreuen, das Gericht auf einer Platte anrichten und mit schwarzem Pfeffer abschmecken.

TIPP
Für Farbe und Schärfe können Sie 1 lange rote Chilischote waschen, putzen, in Streifen schneiden und mit dem Fleisch zum Gericht geben.

DAZU
Zum Rindfleisch mit Austernsauce passt Jasminreis (Seite 145) oder auch gebratener Reis mit Ananas (Seite 149) oder mit Gemüse (Seite 153).

SCHWEINEFLEISCH MIT PAPRIKAGEMÜSE
MUH PAD PRIK OHN

Für 4 Personen

300 g Schweinefilet
1 EL Öl
3 EL vegetarische Austernsauce
1 EL helle Sojasauce
½ TL frisch gemahlener weißer Pfeffer
3 bunte Paprikaschoten
2 helle längliche Paprikaschoten
2 frische lange rote Chilischoten
2 kleine Zwiebeln
5 Knoblauchzehen
evtl. 2 Frühlingszwiebeln
2 EL Öl
1 TL Zucker

Zubereitungszeit:
20 Min.
Marinierzeit:
30 Min.
Pro Portion ca.
230 kcal

1. Das Fleisch in mundgerechte Streifen schneiden und mit Öl, 2 EL Austernsauce, Sojasauce und weißem Pfeffer in einer Schüssel vermischen. Im Kühlschrank ca. 30 Min. marinieren.

2. Alle Paprikaschoten und Chilis waschen und längs aufschneiden. Kerne und Trennwände entfernen, Stiele abschneiden. Das Fruchtfleisch schräg in lange Streifen schneiden.

3. Die Zwiebeln schälen, halbieren und in 1 cm breite Streifen schneiden, den Knoblauch schälen und fein hacken. Nach Belieben die Frühlingszwiebeln waschen, putzen und in 3 cm lange Stücke schneiden, zur Seite stellen.

4. Das Öl im Wok erhitzen und den Knoblauch darin goldgelb anbraten. Die Fleischstreifen dazugeben und bei großer Hitze 2–3 Min. unter Rühren anbraten. Dann alle klein geschnittenen Paprika, Chilis und die Zwiebelstreifen zugeben. Mit der übrigen Austernsauce und Zucker abschmecken und ca. 5 Min. unter Rühren weiterbraten, bis das Gemüse gar ist. 3 EL Wasser zugeben und alles nochmals aufkochen.

5. Den Wok vom Herd nehmen, nach Belieben die Frühlingszwiebeln unterheben und das Gericht auf einer Platte anrichten.

DAZU
Zum Schweinefilet mit Paprika passt Jasminreis (Seite 145) oder gebratener Reis mit Knoblauch (Seite 149).

FISCH UND MEERESFRÜCHTE

DER MEKONG, DAS MEER UND DER FISCH

WASSER PRÄGT BIS HEUTE DAS RELIGIÖSE SELBSTVERSTÄNDNIS DER THAIS, IHRE ART ZU BAUEN UND ZU LEBEN, ZU DENKEN UND ZU FÜHLEN. BEI GENAUER BETRACHTUNG BEGEGNET MAN IM STÄDTEBAU, ABER AUCH IM ALLTAG UND NATÜRLICH IN DER KÜCHE IMMER WIEDER DEM SYMBOL ODER DEN FRÜCHTEN DES WASSERS.

So waren große Städte wie das historische Ayutthaya, aber auch das alte Bangkok gewissermaßen amphibische Städte mit weitverzweigten Kanalsystemen, an deren Ufern hölzerne Wohnhäuser und Paläste aufragten. Ließen dann die Monsunregen die Flüsse anschwellen, schienen die Städte plötzlich zu schwimmen. Auch in Ritualen und Festen, dem Neujahrsfest *songkran* oder dem Wasserfest, wird das Wasser und seine Lebenskraft gefeiert. In der Küche spielen Fisch, Schalen- und Krustentiere aus Flüssen und Seen sowie aus dem Golf eine große Rolle.

DAS MEER
Bilden die fruchtbaren Ebenen des Chao Phraya die Reisschale des Landes, so gibt der Golf von Siam, in den der Fluss mündet, täglich üppige Fänge. Ständig fahren die bunten Holzboote der Fischer aus, auf der Jagd nach Makrelen, Meeräschen, Schnapper, Königsbarschen, Langusten, Garnelen, Krabben und anderen Schalentieren. Werden die Fänge dann an Land gebracht, herrscht in den Häfen Trubel und Betriebsamkeit. Riesige Eisblöcke werden in Laderäume gehievt, die Decks abgespritzt und gesäubert, die Netze geprüft und geflickt. Am nächsten Morgen in aller Frühe ist der Fisch dann an den Marktständen zu haben und schon mittags wird er in Garküchen und Restaurants zubereitet. Auch frische Muscheln wie Mies- und Venusmuscheln sowie eine kleine Austernart gibt es täglich auf den Märkten in den Küstendörfern. Oft findet man auch große und kleine Mollusken, die bereits aus der Schale gelöst angeboten und gerne mit Basilikum und Zitronengras gewürzt verzehrt werden. In vielen Restaurants werden auch kleine Körbchen mit einer vorzüglichen Auswahl tagesfrischer Meeresfrüchte zusammengestellt. Das Angebot an frischer Ware aus dem Meer ist atemberaubend in seiner Vielfalt und seinem Geschmack. Viele Thais fahren deshalb in den Sommermonaten im April und Mai regelmäßig ans Meer, um Seeluft zu schnuppern und vor allem, um fangfrisches Seafood zu genießen. Für Fischliebhaber ist Thailand ein Paradies.

SPEZIALITÄTEN DER REGIONEN

Die Zubereitungsweisen sind vielfältig: frittiert in heißem Öl, behutsam gedämpft oder würzig gebraten, eingewickelt in Bananenblätter und gegrillt, in Pfannengerichten mit Gemüse, in feinen Suppen und würzigen Currys.

Jede Region hat zudem ihre eigenen Spezialitäten: Im Süden schätzt man scharfe, mit Kurkuma verfeinerte Fischgerichte. Zu den bekanntesten Krustentieren hier gehört die Phuket-Languste. Ein feiner Snack sind die getrockneten Tintenfische: Von der Abenddämmerung bis in die Nachtstunden sind rollende Grillstände mit den von der Leine baumelnden Leckerbissen unterwegs. Die Tintenfische werden zuerst mit Salz fermentiert und getrocknet, um anschließend platt gewalzt zu werden. Sobald man sich am Stand ein Exemplar ausgesucht hat, wird dieses nochmals gegrillt, gewalzt, in kleine Stücke geschnitten und mit einer süßsauren Chilisauce serviert.

DIE FLÜSSE

Die vielen Teiche, Flüsse, Bäche und Seen und vor allem der Mekong im Nordosten sind für die Menschen im Landesinneren lebenswichtig. Der Fluss liefert nicht nur Fische, er ist die Lebensader für Hunderttausende Anwohner. Der berühmteste Bewohner des Flusses, der Mekong-Riesenwels, ist einer der größten Süßwasserfische und gehört leider zu den bedrohten Tierarten. Der Fisch ist endemisch und kommt nur im Mekong vor. Der bekannte Pangasius, ebenfalls eine Welsart, lebt im Mekong und im Chao Phraya. Beide Fischarten werden heute in Aquakulturen gezüchtet und vor allem ins Ausland exportiert. Zu den wichtigen Süßwasserspeisefischen gehören der Gurami und verschiedene Fadenfische, die sich auch für die Zucht eignen.

AQUAKULTUREN

Aus der einfachen, landwirtschaftlich genutzten Teichwirtschaft, die seit Jahrhunderten in Thailand betrieben wurde, hat sich in den letzten Jahrzehnten die Aquakultur zu einem wichtigen Exportzweig entwickelt. Nach den anfänglich sehr intensiven und ökologisch problematischen Monokulturen hat sich dank strenger gesetzlicher Vorgaben viel geändert. Es wurden und werden noch immer Zuchtmethoden entwickelt, die sowohl von Produzenten, Importländern und Behörden als auch Umweltgruppen unterstützt werden. Ein weiterer bekannter, und im Ausland sehr beliebter Exportartikel aus der Aquakultur sind die Zuchtgarnelen: »Giant Tiger Prawn«, die weiße Pazifik-Garnele und einige andere Sorten.

1 FRISCHE MAKRELE
PLA TUU SOT

Auf den zahlreichen Märkten in Thailand werden unendlich viele verschiedene frische Fische angeboten. Je nachdem, ob man sich in Küstennähe oder im Landesinneren aufhält, gibt es mehr Salzwasser- oder Süßwasserfische. Makrelen sind besonders beliebte Salzwasserfische, die in mehreren verschiedenen Arten vorkommen. Die Makrele gehört zu den Lieblingsfischen der Thailänder, egal, auf welche Art sie zubereitet wird. Die abgebildete Makrele wird gern in scharf-sauren *thom-yam*-Suppen, in Currys oder mit Kokosmilch gekocht.

2 MAKRELENHECHT
SABA SOT

Die Bezeichnung saba stammt eigentlich aus dem Japanischen und wird für die Pazifik- oder Blaue Makrele verwendet. Das Fleisch dieser Makrele hat einen intensiveren, etwas öligeren Geschmack als die anderen Sorten und eignet sich besonders gut zum Grillen und Braten.

3 ZACKENBARSCH
PLA GAU

Zackenbarsche werden 20–40 cm lang und verfügen über viele kleine hakenähnliche, spitze Zähne. Sie leben vorwiegend in der Nähe von Riffen. In Thailand frittiert man den beliebten Fisch gern in heißem Öl und serviert ihn mit einem sauer-scharfen grünen Mangosalat als Beilage.

4 GEDÄMPFTE MAKRELE
PLA TUU NUNG

Auf jedem noch so kleinen Markt findet man garantiert einen Stand, der gedämpfte Makrelen im Bambuskorb anbietet. In Papier eingewickelt nimmt man die Fische mit nach Hause und brät sie im Wok knusprig an. Dazu gibt es Gemüse nach Wahl, eine scharfe *nam-prik*-Sauce und Jasminreis.

5 KALMAR – PLA MÜK

Sehr beliebt sind Kalmare, eine Tintenfischart. Sie werden meist in einer Größe zwischen 5 und 20 cm verkauft. Wichtig ist es, bei der Zubereitung die kurze Garzeit einzuhalten, da sie sonst gummiartig werden. Kalmare werden in Thailand bevorzugt für Wokgerichte, Salate und Suppen verwendet. Auch vom Grill mit einem scharfen Chili-Dip schmecken sie köstlich. Überall in Thailand gibt es getrocknete, oft platt gedrückte Kalmare zu kaufen. Vor dem Essen werden sie gegrillt oder im Wok frittiert und dann mit einer scharfen Sauce gegessen.

6 KRAKE – PLA MÜK SAAI

Kraken gehören zu den Tintenfischen und können sehr groß werden. Sie gelten als wahre Delikatesse, da sie besonders zartes Fleisch haben. Am liebsten isst man in Thailand Kraken vom Grill mit einem süß-scharfen oder scharfen Dip.

7 GARNELEN – GUNG TALEE

Thailands Küstengewässer sind reich an Krustentieren. In der Thai-Küche gibt es unzählige Gerichte mit Garnelen und anderen Krustentieren. Sie werden gegrillt, gebraten, frittiert, gedünstet und für Currys verwendet. Sehr frisch isst man sie auch roh mit viel Knoblauch und Chili. Garnelen bekommt man frisch und tiefgekühlt in vielen Lebensmittelgeschäften.

8 SÜSSWASSER-GARNELE
GUNG MÄ NAM

Diese Garnelenart wird in Aquakulturen gezüchtet. In Thailand bekommt man sie frisch auf dem Markt zu kaufen. Sie sind auch tiefgekühlt unter dem Namen »Fresh Water Prawns« oder »Fresh Water Shrimps« erhältlich. Diese Garnelenart eignet sich für Suppen, Currys und Wokgerichte.

9 KRABBEN – BPUH

Fangfrische Krabben, auch Crabs oder Krebse genannt, sind in Thailand besonders begehrt. Es gibt sehr viele verschiedene Arten. Am liebsten isst man sie einfach gekocht oder gegrillt mit einem scharfen Dip. Tiefgekühlt sind sie in guten Lebensmittelläden erhältlich. Hier sehen Sie die Mangroven- oder Schlammkrabbe *bpuh talee* und die Blau- oder Blumenkrabbe *bpuh ma*.

FISCH IM SALZ GEBACKEN MIT SCHARFER SAUCE
PLA KHAPONG KHAO PHAUW GLÜA SAI NAM PRIK

1. Den Fisch kalt abspülen und gut trocken tupfen. Ein Stück Alufolie auf ein Backblech legen und den Fisch darauflegen. Auf beiden Seiten mit dem Salz bestreuen, das Salz dabei mit den Fingern etwas andrücken. Die Alufolie an den Rändern nach oben falten, damit keine Flüssigkeit auslaufen kann. Den Fisch aber nicht in die Folie einwickeln.

2. Das Blech in den kalten Backofen auf die mittlere Schiene schieben. Den Ofen auf 250° (Umluft 220°) stellen und den Fisch 30–40 Min. backen. Nach ca. 30 Min. mit einem Löffel auf den Bauch des Fisches drücken: Gibt das Fleisch nach, ist der Fisch gar. Sonst noch ca. 10 Min. länger garen.

3. Während der Fisch gart, die Sauce zubereiten: Dafür den Knoblauch schälen. Die Chilis waschen und putzen. Beides im Mörser gut stampfen. Limettensaft, Zucker und Fischsauce zugeben und alle Zutaten gut vermischen. Die Sauce mit den Korianderblättchen bestreuen.

4. Das Blech aus dem Ofen nehmen und den Fisch mit der Folie auf eine längliche Platte legen. Den Fisch am Kopf und am oberen Teil des Körpers entlang mit einem scharfen Messer einschneiden. Den Fisch aufklappen und die große Mittelgräte entfernen. Danach wieder zuklappen.

DAZU
Mit Jasminreis (Seite 145) und gemischtem Gemüse (Seite 309) oder kurz gebratenen Früchten und Gemüse (Seite 310) und der scharfen Sauce servieren.

Für 4 Personen
Für den Fisch:

1 ganzer frischer Fisch (ca. 800 g, ausgenommen, aber mit Schuppen; z. B. Weißer Schnapper oder Seebrasse)
3 EL Salz
Für die Sauce:
30 g frischer Knoblauch
15 Vogelaugenchilis
1 EL Limettensaft
1 TL Zucker
1 EL Fischsauce
10 Korianderblättchen

Zubereitungszeit:
50 Min.
Pro Portion ca.
255 kcal

GEDÄMPFTER FISCH MIT EINGELEGTEN PFLAUMEN
PLA NÜNG BUAY

1. Die Shiitakepilze mindestens 20 Min. in warmem Wasser einweichen, ausdrücken, die Stiele abschneiden und die Hüte in feine Streifen schneiden. Die Pflaumen halbieren und die Kerne herauslösen.

2. Den Fisch abspülen, trocken tupfen und in eine Schüssel legen, Zucker, Pflaumenwasser, Pflaumen, Austernsauce, Shiitakepilze und das Öl zugeben und den Fisch gut damit einreiben. Zugedeckt im Kühlschrank ca. 1 Std. marinieren lassen.

3. Den Fisch auf eine hitzefeste Platte legen. Die obere Seite mehrmals quer mit einem scharfen Messer einschneiden. Die Platte in den Dampfgarer stellen. Das Wasser im Dampfgarer aufkochen und den Fisch zugedeckt bei großer Hitze ca. 40 Min. garen.

4. Inzwischen die Vogelaugenchilis waschen, putzen und im Mörser mit dem Stößel quetschen, Knoblauch schälen und in dünne Scheiben schneiden. Sellerie waschen, putzen und in 2 cm lange Stücke schneiden. Die Frühlingszwiebeln waschen, putzen und ebenfalls in 2 cm lange Stücke schneiden.

5. Knoblauch, Chilis, Sellerie und Frühlingszwiebeln auf den Fisch streuen, wieder zudecken und weitere ca. 3 Min. dämpfen.

6. Die Platte vorsichtig herausheben. Den Fisch mit etwas grob gemahlenem schwarzem Pfeffer bestreuen und mit Jasminreis (Seite 145) sofort servieren.

TIPP

Wer keinen Dampfgarer hat, nimmt einen großen Topf oder Bräter mit Deckel, in den die Platte mit dem Fisch hineinpasst. 3–4 cm hoch Wasser in den Topf geben und ein oder zwei Tassen hineinstellen. Die Platte mit dem Fisch auf die Tassen stellen und den Fisch zugedeckt dämpfen.

Für 4 Personen

- 6 getrocknete Shiitakepilze
- 3–4 eingelegte chinesische Pflaumen (im Glas)
- 1 ganzer frischer Fisch (ca. 800 g; küchenfertig vorbereitet; z. B. weißer Schnapper, Wolfsbarsch oder Zackenbarsch)
- 1 TL Zucker
- 2 EL Einlegewasser von den Pflaumen
- 2 EL Austernsauce
- 1 ½ EL Öl
- 5–10 Vogelaugenchilis
- 5 Knoblauchzehen
- 2 Stangen chinesischer Schnittsellerie
- 3 kleine Frühlingszwiebeln grob gemahlener schwarzer Pfeffer

Zubereitungszeit:
1 Std.
Einweichzeit:
20 Min.
Marinierzeit:
1 Std.
Pro Portion ca.
350 kcal

GEFÜLLTE TINTENFISCHE
PLA MÜK YAD SAI

1. Die Shiitakepilze ca. 20 Min. in warmem Wasser einweichen, Stiele abschneiden und die Hüte in sehr kleine Stückchen hacken. 100 ml Wasser aufkochen und die Glasnudeln ca. 1 Min. einlegen, abtropfen und in 3 cm lange Schnüre schneiden.

2. Für die Füllung Schweinehackfleisch, Ei, gehackte Pilze, Glasnudeln, Austernsauce, Sojasauce, 1 EL Öl und Zucker in eine Schüssel geben und gut mischen, bis alles gut bindet. Ca. 10 Min. in den Kühlschrank stellen.

3. Inzwischen die Tintenfische waschen und trocken tupfen. Den Backofen auf 200 ° (Umluft 180°) vorheizen. Die Tintenfischkörper mit der Hackfleischmischung füllen und die Öffnung mit Holzstäbchen verschließen. Die gefüllten Tintenfische auf ein mit Alufolie belegtes Blech legen, in die Mitte des heißen Ofens schieben und ca. 20 Min. backen.

4. Inzwischen den Knoblauch schälen und fein hacken. 4 EL Öl im Wok sehr stark erhitzen und den Knoblauch darin knusprig braten. Öl und Knoblauch in ein Schälchen umfüllen und beiseitestellen. Das Blech aus dem Ofen holen und die Tintenfische ca. 5 Min. ruhen lassen.

5. Das übrige Öl in einer großen Pfanne erhitzen und die Tintenfische darin goldbraun anbraten. Herausheben und auf einer Platte anrichten. Mit einem scharfen Messer im Abstand von ca. 2 cm bis zur Hälfte einschneiden oder ganz durchschneiden. Den Knoblauch etwas abtropfen und über die Tintenfische streuen. Das Gericht nach Belieben mit schwarzem Pfeffer abschmecken. Mit Jasminreis (Seite 145) servieren.

Für 4 Personen

2	getrocknete Shiitakepilze
50 g	getrocknete Glasnudeln
300 g	Schweinehackfleisch
1	Ei
3 EL	Austernsauce
½ EL	helle Sojasauce
6 EL	Öl
1 TL	Zucker
8	frische küchenfertige Tintenfischtuben (ca. 800 g, ersatzweise TK)
15	Knoblauchzehen
	evtl. grob gemahlener schwarzer Pfeffer
	Außerdem:
	Holzstäbchen

Zubereitungszeit:
1 Std.
Einweichzeit:
20 Min.
Pro Portion ca.
615 kcal

TINTENFISCH IM LIMETTENSUD
PLA MÜK NÜNG MANAO

Für 4 Personen

800 g frische Tintenfischtuben (oder -ringe; küchenfertig)

½ TL Zucker

1 EL helle Sojasauce

1 Bio-Limette

10 Knoblauchzehen

5–10 Vogelaugenchilis

1 Stange chinesischer Schnittsellerie

3 kleine Frühlingszwiebeln

3 EL Limettensaft

evtl. Fischsauce zum Abschmecken

Zubereitungszeit:
25 Min.
Pro Portion ca.
180 kcal

1. Tintenfische waschen und trocken tupfen, in eine Schüssel geben und mit dem Zucker und der Sojasauce gut vermischen. In eine hitzefeste Form legen und in den Dampfgarer stellen. Das Wasser im Dampfgarer aufkochen und die Tintenfische bei mittlerer Hitze ca. 20 Min. garen.

2. Inzwischen die Bio-Limette heiß waschen, abtrocknen, in Scheiben schneiden und die Kerne entfernen. Knoblauch schälen und fein hacken. Vogelaugenchilis waschen, putzen und mit einem Messer oder Stößel etwas quetschen. Den Sellerie waschen und in 2 cm lange Stücke schneiden, die Frühlingszwiebeln waschen, putzen und ebenfalls in 2 cm lange Stücke schneiden.

3. Limettensaft, Knoblauch, Vogelaugenchilis und nach Belieben Fischsauce auf die Tintenfische geben. Dann Limettenscheiben, Sellerie und Frühlingszwiebeln darüberstreuen, nochmals zudecken und ca. 2 Min. weiterdämpfen. Die heiße Form vorsichtig herausheben und das Gericht mit Jasminreis (Seite 145) servieren.

INFO
Auf diese Weise kann man auch Fisch zubereiten, z. B. einen kleinen Schnapper, eine Forelle oder einen Steinbutt.

GEBRATENE SCHARFE MEERESFRÜCHTE
PAD KI MAU TALEE

Für 4 Personen
3–4 große Knoblauchzehen
5 grüne Vogelaugenchilis
5 frische lange rote Chilischoten
1 TL schwarze Pfefferkörner
50 g lange Thai-Bohnen
1 Bund indisches Basilikum, evtl. mit Blütenrispen
5 frische grüne Pfefferrispen
150 g gekochte TK-Venusmuscheln ohne Schalen (aufgetaut)
100 g gekochte TK-Miesmuscheln ohne Schalen (aufgetaut)
200 g frische Tintenfische (im Ganzen oder Ringe; evtl. TK)
150 g rohe Garnelen ohne Schale
3 EL Öl
4 EL Austernsauce
1 TL Zucker

Zubereitungszeit:
25 Min.
Pro Portion ca.
240 kcal

1. Knoblauch schälen und in den Mörser geben. Die Vogelaugenchilis und die Chilischoten waschen und putzen, mit den Pfefferkörnern in den Mörser geben und mit dem Knoblauch zerstoßen und gut stampfen, die Paste soll nicht ganz fein zerrieben sein.

2. Die Thai-Bohnen waschen, putzen und in 2 cm lange Stücke schneiden. Basilikum waschen und trocken schütteln, Blätter und Blüten abzupfen und beiseitelegen. Die Pfefferrispen waschen, trocken tupfen und nach Belieben halbieren. Die aufgetauten Muschelsorten in ein Sieb gießen, kurz kalt abspülen und abtropfen lassen.

3. Die Tintenfische waschen, trocken tupfen und nach Belieben klein schneiden. Die Garnelen kalt abbrausen und gut trocken tupfen. Das Öl im Wok erhitzen. Die Chilipaste zugeben und braten, bis es zu duften beginnt. Tintenfische und Garnelen dazugeben und unter Rühren ca. 5 Min. anbraten. Beide Muschelsorten zugeben und mit dem Holzspatel umrühren. Die Bohnen dazugeben, alles mit Austernsauce und Zucker würzen und bei großer Hitze unter ständigem Rühren ca. 5 Min. weiterbraten.

4. Den Wok vom Herd nehmen, die Pfefferrispen und die Basilikumblätter dazugeben, alle Zutaten verrühren und auf einer Platte anrichten. Falls vorhanden, mit den Basilikumblüten garnieren.

DAZU
Zu den scharfen Meeresfrüchten passen gebratene Glasnudeln mit Eiern (Seite 168) oder Jasminreis (Seite 145).

FRITTIERTE RIESENGARNELEN MIT KNUSPER-KNOBLAUCH
GUNG THOD GRATIEM

1. Die Garnelen schälen, Kopf abtrennen, den Schwanzfächer dranlassen. Den schwarzen Darm am Rücken mit einem spitzen Messer herauslösen. Garnelen kalt abbrausen und gut trocken tupfen.

2. In einer Schüssel das Tempuramehl mit dem weißen Pfeffer, der Sojasauce und dem Zucker vermischen. Die Garnelen dazugeben und alles gut vermischen. Ca. 10 Min. im Kühlschrank ruhen lassen.

3. Inzwischen den Knoblauch schälen und fein hacken. Das Öl in einem großen Wok stark erhitzen. Den Knoblauch darin knusprig goldgelb frittieren, mit der Schaumkelle herausheben und zur Seite stellen.

4. Die Garnelen aus dem Kühlschrank holen, nochmals gut mit dem Teig vermischen und portionsweise im heißen Öl ca. 3 Min. ausbacken. Mit der Schaumkelle herausnehmen und auf Küchenpapier abtropfen lassen. Fertig gebackene Garnelen im 60° heißen Ofen warm halten.

5. Zum Servieren die Garnelen auf einer Platte anrichten, mit dem knusprigen Knoblauch bestreuen und mit schwarzem Pfeffer abschmecken.

DAZU
Zu den frittierten Garnelen serviert man Jasminreis (Seite 145). Außerdem schmeckt die Chilisauce *sri racha* (Fertigprodukt) oder der süßsaure Pflaumendip (Seite 28) dazu. Mit dem süßsauren Erdnussdip (Seite 28) wird es etwas üppiger.

Für 4 Personen

500 g	rohe Riesengarnelen mit Schale
3 EL	Tempuramehl
½ TL	weißer Pfeffer
1 EL	helle Sojasauce
½ EL	Zucker
100 g	Knoblauch
½ l	Öl zum Frittieren grob gemahlener schwarzer Pfeffer

Zubereitungszeit:
40 Min.
Pro Portion ca.
160 kcal

KREBSE MIT INDISCHEM CURRYPULVER
BPUH PHONG CARRI

1. Die Krebse kalt abbrausen und gut abtropfen lassen. Mit einem Küchenbeil oder schweren Messer halbieren.

2. Den Knoblauch schälen und fein schneiden. Den Sellerie und die Frühlingszwiebeln waschen, putzen und in 2 cm lange Stücke schneiden.

3. Das Öl im Wok erhitzen, den Knoblauch zugeben und glasig anbraten, dann das Currypulver zugeben und weiterbraten, bis alles fein duftet. Die halbierten Krebse zugeben und unter Wenden gut mit der Öl-Knoblauch-Currypulver-Mischung vermischen. Die Austernsauce und den Zucker zugeben und die Krebse zugedeckt bei mittlerer Hitze 10–12 Min. garen.

4. 50 ml Wasser dazugießen und unterrühren. Sellerie- und Frühlingszwiebelstücke unterheben. Den Wok vom Herd nehmen und die Krebse auf einer Platte anrichten. Mit Jasminreis (Seite 145) servieren.

INFO
Anstelle von Taschen- oder Bärenkrebsen kann man dieses Rezept auch mit Blaukrabbe, Schlamm- oder Mangrovenkrabbe zubereiten.

Für 4 Personen

4 TK-Taschen- oder Bärenkrebse (je ca. 250 g, aufgetaut)
7 Knoblauchzehen
3 Stangen chinesischer Schnittsellerie
3 Frühlingszwiebeln
4 EL Öl
1 EL mildes indisches Currypulver
5 EL Austernsauce
1 TL Zucker

Zubereitungszeit:
30 Min.
Pro Portion ca.
295 kcal

GARNELEN MIT BAMBUSSPROSSEN

GARNELEN MIT BAMBUSSPROSSEN

PAD NOH MAAI SAI GUNG

1. Frischen Bambus schälen: die braune oder schwarze Schale mit einem scharfen Messer entfernen, mit einem Sparschäler die nächste Schicht abschälen, bis das gelblich weiße Fruchtfleisch zum Vorschein kommt. In ca. 1 x 3 cm große Stücke schneiden und in einem Topf mit Wasser bedecken. Wasser aufkochen, salzen und die Bambusstücke zugedeckt bei kleiner Hitze mindestens 1 Std. köcheln lassen. Herausheben und abtropfen lassen. Oder Bambusstücke aus der Dose in ca. 1 x 3 cm große Stücke schneiden und in Salzwasser zugedeckt bei mittlerer Hitze ca. 10 Min. köcheln lassen. Aus dem Topf heben und abtropfen lassen.

2. Die Garnelen schälen, Kopf abtrennen, Schwanzfächer dran lassen. Den schwarzen Darm am Rücken mit einem spitzen Messer herauslösen. Garnelen kalt abbrausen und gut trocken tupfen. Den Knoblauch schälen und fein hacken, die Frühlingszwiebeln waschen, putzen und in 3 cm lange Stücke schneiden.

3. Das Öl im Wok erhitzen und den Knoblauch darin glasig braten. Die Garnelen zugeben und ca. 5 Min. mitbraten, bis sie gar sind. Bambussprossen, Austernsauce und Zucker dazugeben und gut unterrühren, 2–3 Min. weiterbraten. Die Frühlingszwiebeln dazugeben und vorsichtig unterheben. Den Wok vom Herd nehmen und die Garnelen mit Bambussprossen auf einer Platte anrichten. Mit schwarzem Pfeffer abschmecken.

Für 4 Personen

ca. 700 g	frische Bambussprossen oder 250 g Bambussprossen aus der Dose
1 EL	Salz
400 g	rohe Garnelen mit Schale
5	Knoblauchzehen
6	große Frühlingszwiebeln
3 EL	Öl
1 ½ EL	Austernsauce
1 TL	Zucker
	grob gemahlener schwarzer Pfeffer

Zubereitungszeit:
20 Min.
Zubereitung frischer Bambus:
1 Std. 40 Min.
Pro Portion ca.
200 kcal

GARNELEN MIT THAI-BOHNEN

PAD TUA FAK YAO SAI GUNG

1. Die Garnelen schälen, Kopf und Schwanz abtrennen. Den schwarzen Darm mit einem spitzen Messer herauslösen. Garnelen kalt abbrausen und gut trocken tupfen. Die Thai-Bohnen waschen, putzen und in ca. 2 cm lange Stücke schneiden. Den Knoblauch schälen und fein hacken.

2. Das Öl im Wok erhitzen und den Knoblauch darin glasig anbraten. Die Garnelen dazugeben und unter Rühren 3–5 Min. anbraten. Bohnen, Austernsauce und Zucker zugeben und alle Zutaten bei großer Hitze unter ständigem Rühren ca. 5 Min. weiterbraten.

3. Den Wok vom Herd nehmen, die Garnelen mit den Thai-Bohnen auf einer Platte anrichten und mit weißem Pfeffer abschmecken.

Für 4 Personen

800 g	rohe Garnelen mit Schale
250 g	lange Thai-Bohnen
5	Knoblauchzehen
3 EL	Öl
4 EL	Austernsauce
1 TL	Zucker
	frisch gemahlener weißer Pfeffer

Zubereitungszeit:
20 Min.
Pro Portion ca.
245 kcal

Für 4 Personen
1 kg frische Grünschalenmuscheln (ersatzweise Miesmuscheln)
5 Knoblauchzehen
1 TL schwarze Pfefferkörner
1 Bund Thai-Basilikum
3 EL Öl
4 EL Tomatenketchup
2 EL Reisessig
½ TL Palmzucker
2 EL Austernsauce

Zubereitungszeit:
20 Min.
Pro Portion ca.
155 kcal

GRÜNSCHALENMUSCHELN MIT TOMATENSAUCE

HOY MÄNG BPUH SAI SAUCE MAKÜATHED

1. Die Muscheln gründlich sauber bürsten, kalt waschen und gut abtropfen lassen. Geöffnete Muscheln aussortieren und wegwerfen. Den Knoblauch schälen und fein hacken, die Pfefferkörner im Mörser grob zerstoßen und beiseitestellen.

2. Basilikum waschen, trocken schütteln, die Blätter abzupfen und beiseitelegen. Das Öl im Wok erhitzen, den Knoblauch darin braten, bis er zu duften beginnt. Tomatenketchup, Reisessig, 2 EL Wasser und den Palmzucker dazugeben und aufkochen.

3. Die Grünschalenmuscheln und die Austernsauce zugeben und bei großer Hitze unter Rühren wieder aufkochen. Die Muscheln zugedeckt bei mittlerer Hitze ca. 5 Min. braten, bis sie sich öffnen. Die Basilikumblätter hinzufügen und alle Zutaten mit dem Holzspatel verrühren. Muscheln, die sich beim Garen nicht geöffnet haben, aussortieren und wegwerfen.

4. Die Muscheln auf einer großen Platte anrichten. Das Gericht mit dem grob zerstoßenen Pfeffer bestreuen und servieren. Die Glasnudeln mit Eiern (Seite 262) schmecken fein zu den Muscheln.

Für 4 Personen
1 kg frische Venusmuscheln
5 Knoblauchzehen
½ Bund Thai-Basilikum
4 EL Öl
3 EL Currypaste aus gerösteten Chilischoten (Seite 175)
3 EL Austernsauce

Zubereitungszeit:
20 Min.
Pro Portion ca.
185 kcal

VENUSMUSCHELN MIT CURRYPASTE UND THAI-BASILIKUM

HOY LAI PAD PRIK PHAUW

1. Die Muscheln gründlich bürsten, kalt waschen und gut abtropfen lassen. Geöffnete Muscheln aussortieren und wegwerfen. Den Knoblauch schälen und fein schneiden. Basilikum waschen und trocken schütteln, die Blätter abzupfen und beiseitelegen.

2. Das Öl im Wok erhitzen, den Knoblauch zugeben und glasig braten. Die Currypaste zugeben und unter Rühren weiterbraten, bis es fein duftet und Knoblauch und Currypaste sich gut vermischt haben.

3. Die Muscheln und die Austernsauce hinzufügen und mit dem Holzspatel unterrühren. Zugedeckt bei mittlerer Hitze ca. 5 Min. garen, bis sich die Muscheln geöffnet haben. Muscheln, die sich beim Garen nicht geöffnet haben, aussortieren und wegwerfen.

4. Falls zu wenig Wasser aus den Muschen ausgetreten ist, 2 EL Wasser dazugeben, unterrühren und kurz aufkochen lassen. Wok vom Herd nehmen, Basilikumblätter aufstreuen und das Gericht auf einer Platte anrichten.

GRÜNSCHALENMUSCHELN MIT TOMATENSAUCE

FISCHAUFLAUF IM BANANENBLATTKÖRBCHEN
HOO MOK

Für 4–5 Personen
Für die Paste:

5 getrocknete kleine rote Chilischoten
4 kleine rote Schalotten
10 Knoblauchzehen
2 Korianderwurzeln
1 Bio-Kaffirlimette
1 kleine junge Galgantwurzel (ca. 30 g)
1–2 Krachai-Wurzeln
½ EL Garnelenpaste

Für den Auflauf:

200 g große Spinatblätter
1 Bund Thai-Basilikum
500 g frisches Fischfilet ohne Gräten (z. B. Red Snapper oder anderer festfleischiger Fisch)
1 Ei
½ l Kokosmilch
½ TL Salz
1 EL Zucker
1 EL Fischsauce
2 lange rote Chilischoten
10 Kaffirlimetten-Blätter

Für die Glasur:

100 ml Kokosmilch
1 EL Reismehl

Außerdem:

2–3 Bananenblätter für 8–10 Körbchen, Schere, Heftgerät

Zubereitungszeit: 2 Std.
Bei 5 Portionen pro Portion ca. 480 kcal

1. Für die Paste die getrockneten Chilischoten klein schneiden, Schalotten und Knoblauch schälen und ebenfalls klein schneiden. Die Korianderwurzeln waschen. Die Kaffirlimette heiß waschen, abtrocknen und die Schale sehr dünn abschneiden und fein hacken. Galgantwurzel schälen, Krachaiwurzel waschen und beides in kleine Stücke hacken.

2. Alle vorbereiteten Zutaten mit der Garnelenpaste in einen Mörser geben und zu einer Paste zerstoßen.

3. Für die Körbchen die Bananenblätter waschen und 20 Kreise von ca. 20 cm Durchmesser ausschneiden. Je 2 Blätter mit der nicht glänzenden Blattunterseite aufeinanderlegen, sodass oben und unten die glänzende Seite ist. Mit den Händen zu Körbchen falten und mit Heftklammern zusammenheften.

4. Für den Auflauf die Spinat- und Basilikumblätter waschen und gut trocken schütteln, evtl. Stängel von den Spinatblättern abschneiden, Basilikumblätter abzupfen. Die Bananenblattkörbchen mit Spinat- und Basilikumblättern auslegen.

5. Die Fischfilets waschen, trocken tupfen und in mundgerechte Stücke schneiden. In einer Schüssel mit der Paste vermischen. Das Ei in einem Schälchen aufschlagen und unter die Fischmischung rühren. Die Kokosmilch unter ständigem Rühren langsam zur Fischmasse fließen lassen. Salz, Zucker und Fischsauce beigeben. Alle Zutaten nochmals gut vermischen und auf die Bananenblattkörbchen verteilen. Die Chilis waschen, putzen, der Länge nach aufschneiden, entkernen und längs in feine Streifen schneiden. Die Kaffirlimetten-Blätter waschen, trocken tupfen und längs in feine Streifen schneiden. Beides auf der Fischfüllung verteilen.

6. Die Körbchen auf den Rost in den Dampfgarer stellen, das Wasser zum Kochen bringen und die Körbchen zugedeckt ca. 10 Min. garen.

7. Inzwischen für die Glasur die Kokosmilch mit dem Reismehl in einem Topf aufschlagen und unter Rühren ca. 1 Min. köcheln. In ein Schälchen geben. Nach der Dämpfzeit je 1 TL Glasur auf jede Portion tupfen, wieder zudecken und nochmals ca. 5 Min. garen. Die Körbchen aus dem Dampfgarer nehmen und heiß mit Jasminreis (Seite 145) oder gebratenem Reis mit Currypulver (Seite 151) servieren.

SÜSSWASSERFISCH MIT CHINESISCHEM SCHNITTSELLERIE
PLA NAM TSCHÜD SAI KANTSCHAI

Für 4 Personen
600 g Fischsteaks oder Fischfilet (z. B. Barsch, Karpfen, Hecht)
½ l Öl zum Frittieren
2 Stangen chinesischer Schnittsellerie
4 kleine Frühlingszwiebeln
5–7 Knoblauchzehen
3 EL Öl
1 TL Zucker
2 EL Austernsauce
½ EL helle Sojasauce
grob gemahlener schwarzer Pfeffer

Zubereitungszeit:
20 Min.
Pro Portion ca.
320 kcal

1. Die Fischstücke waschen und trocken tupfen. Größere Steaks oder Stücke in ca. 3 x 5 m große Stücke schneiden. Das Öl zum Frittieren im Wok sehr stark erhitzen, die Fischstücke je nach Größe des Woks portionsweise vorsichtig zugeben und unter gelegentlichem Rühren ca. 5 Min. braten. Herausheben, auf Küchenpapier abtropfen lassen und im 80° heißen Ofen warm halten. Das Frittieröl aus dem Wok gießen.

2. Sellerie und Frühlingszwiebeln waschen, putzen und in 2 cm lange Stücke schneiden. Den Knoblauch schälen und fein hacken.

3. Das frische Öl im Wok erhitzen und den Knoblauch darin glasig braten. Zucker, Austern- und Sojasauce sowie 5 EL Wasser zugeben und aufkochen lassen. Sellerie- und Frühlingszwiebelstücke dazugeben, mit dem Holzspatel umrühren. Die Fischstücke auf einer Platte anrichten. Den Wok vom Herd nehmen und alles über die Fischstücke verteilen. Mit schwarzem Pfeffer abschmecken.

DAZU
Jasminreis (Seite 145) passt dazu und die Fischsauce mit Chili (Seite 28) zum individuellen Nachwürzen.

FISCHSAUCE UND TROCKENFISCH

IN JEDEM RESTAURANT – EGAL OB GROSS ODER KLEIN, OB ELEGANT UND GEDIEGEN ODER EINFACHE STRASSENKÜCHE, – ABER AUCH ZU HAUSE, ÜBERALL STEHT EINE SCHALE MIT FISCHSAUCE UND FEIN GESCHNITTENEN CHILISCHOTEN BEREIT. DIESE *NAM PLA PRIK* IST IN DER THAILÄNDISCHEN KÜCHE SO WICHTIG WIE SALZ UND PFEFFER AUF DEN TISCHEN WESTLICHER LÄNDER.

Nam pla prik ist in ganz Thailand verbreitet. Es gibt allerdings regionale Unterschiede. Im Nordosten werden oft getrocknete, fein zerriebene Chilis verwendet. Manchmal auch unter Beigabe von wenig flüssigem *pla ra* (fermentierter Fisch aus dieser Region). In Zentralthailand wird zum Grundrezept gern frischer, fein geschnittener Knoblauch und frisch gepresster Limettensaft gegeben. In anderen Gegenden kommen zusätzlich fein geschnittene Galgant- und Krachai-Wurzel sowie Korianderblättchen dazu. Diese regionale Spezialität wird vor allem zu gegrillten Makrelen serviert.

FISCHSAUCE

Die in unseren Rezepten verwendete salzig schmeckende klare Fischsauce wurde in früheren Zeiten in jedem guten Haus selber gemacht. Ob im Landesinnern oder am Meer, die Herstellungsweise war die gleiche. Entscheidend war die Art der verwendeten Fische. Aus Süßwassergewässern wurden weiche, etwas durchsichtige Fische verwendet, die man nach Ende der Regenzeit in den Flüssen und Bächen fing. Die geeigneten Fische legte man anschließend im Verhältnis drei Teile Fisch, zwei Teile Salz für acht Monate in einem Tontopf ein. Die durch die stattfindende Fermentation entstehende Flüssigkeit wurde dann gekocht, gefiltert und in Flaschen abgefüllt, um anschließend in der Sonne zu reifen.

An der Küste verwendete man für die Herstellung der Fischsauce Salzwasserfisch (Sardellen, Anchovis o. Ä.). Das Verfahren war genauso wie bei der Sauce aus Süßwasserfischen, aber die entstehende Flüssigkeit wurde nicht gekocht, sondern gleich abgefüllt.

Bald entstanden jedoch größere Produktionsbetriebe, um auch die Bevölkerung in den Städten mit Fischsauce beliefern zu können. Heute gibt es nur noch wenige Haushalte, die ihre eigene Fischsauce herstellen. In Küstenregionen ist der früher verwendete Fisch nicht mehr sehr verbreitet. Für die kommerzielle Herstellung nimmt man heute verschiedene Arten von Fischen, und Fischsauce findet man in jedem Supermarkt. Da es unzählige Produzenten und dementsprechend verschiedene Qualitäten und unterschiedlich schmeckende Sorten gibt, muss jeder selber herausfinden, welche ihm am besten schmeckt.

FERMENTIERTER FISCH

Vor allem im Nordosten Thailands ist *pla ra* beliebt. Fermentierter Fisch, der wirklich durchdringend riecht. Für die Herstellung wird Fisch ausgenommen und mit Salz, Reis und Gewürzen in einem verschlossenen Tonkrug einige Monate fermentiert. Es gibt *pla ra* in verschiedenen Qualitätsklassen zu kaufen: als cremige Paste, als Paste mit Fischstücken und mit ganzen Fischen. *Pla ra* ist pur außergewöhnlich scharf im Geruch und Geschmack. Für einige Gerichte ist er aber unverzichtbar, und der strenge Geschmack verliert sich, wenn er mit anderen Zutaten gemischt wird. Ähnlich intensiv und vorsichtig einzusetzen ist die fermentierte Fischsauce *nam pla ra* (siehe Seite 100).

GETROCKNETE FISCHE UND MEERESFRÜCHTE

Entlang den Küstenlinien Thailands, an den Ufern des Mekong und des Chao Phraya sowie den zahlreichen anderen Flüssen und Seen herrscht ein schier überbordender Reichtum an Fischen, Muscheln, Krebsen und anderem Wassergetier. Für die hier lebenden Menschen stellen Fische und Meeresfrüchte die Lebensgrundlage dar und sind zusammen mit Reis und Gemüse ein Grundnahrungsmittel. Sie kommen frisch auf den Tisch oder werden, um sie haltbar zu machen, nicht nur eingesalzen sondern auch getrocknet. Überall auf den vielen Märkten sieht man sie immer schön nach Sorte und Größe geordnet. Zum Einsalzen eignen sich vor allem Barsche und Makrelen. Die beliebtesten Süßwasserfische zum Trocknen sind der Katzenwels, verschiedene Karpfenarten, wie der Schlammfisch, sowie Schlangenkopffische. Zum Trocknen werden die Fische ausgenommen und je nach Größe im Ganzen belassen, filetiert oder in Stücke geschnitten. Danach reibt man sie mit Salz ein und legt sie in die Sonne zum Trocknen. Dabei unterscheidet man je nach Trockenzeit: 1 bis 2 Tage *(pla däd diau)* oder mindestens 4 bis 5 Tage *(pla häng)*. Während *pla däd diau* eher zügig als Beilage in Suppen, für Wokgerichte oder frittiert verwendet werden sollten, sind die länger getrockneten *pla häng* deutlich länger haltbar. Auch Garnelen werden getrocknet *(gung häng)* und ganz, gemahlen oder zu einer Paste verarbeitet als feine Würze eingesetzt.

GEMÜSE

MARKTGESCHICHTEN

WER LAND UND LEUTE IN THAILAND HAUTNAH SPÜREN MÖCHTE, IST MIT EINEM BESUCH AUF DEM FRISCHMARKT *TALAT SOT* ODER DEM WOCHENMARKT *TALAT NAT* GUT BERATEN. NATÜRLICH GIBT ES MITTLERWEILE AUCH IN GRÖSSEREN DÖRFERN MODERNE SUPERMÄRKTE, DIE *TALATS* HINGEGEN SIND EINE ECHTE, ÜBER DIE JAHRHUNDERTE GEWACHSENE INSTITUTION.

Auf dem Frischmarkt bieten die angereisten Händler oft schon ab 6.00 Uhr morgens oder abends auf Holztischen oder einfach auf Matten auf dem Boden ein beeindruckendes Warenangebot feil: Gemüse und Früchte aus dem eigenen Garten, Kräuter und Pilze aus dem Wald und je nach Saison auch Vögel, Frösche und bestimmte Insektenarten. Neben einem Stand mit ordentlich aufgeschichteten, getrockneten Fischen verkauft eine junge Frau frische Blumen. Dazwischen findet man Früchte, Knoblauch und Zwiebeln, am Nachbarstand ein unglaubliches Angebot an Gemüse und Kräutern – Anfassen, Schnuppern und Probieren ist ausdrücklich erlaubt. Es gibt Berge von aufgetürmten Currypasten, daneben milchsauer eingelegte Bambussprossen, frische weiße Reisnudeln in unterschiedlichsten Varianten und Sojasprossen.

In den Garküchen gibt es kleine Mahlzeiten, Häppchen und Süßigkeiten. Die Auswahl ist so verlockend, dass es kaum möglich ist, ohne einen Einkauf nach Hause zu gehen. Gegen 10.00 Uhr kehrt dann Ruhe ein. Findet der Markt erst abends statt, kann er sich bis in die Nachtstunden hinziehen. Das Warenangebot ist hier etwas anders sortiert. Es gibt weniger Lebensmittel, dafür mehr Kleidung, Schuhe und Haushaltsgegenstände. Auf den Nachtmärkten sind auch mehr der kleinen Straßenküchen vertreten. Dort kann man sich sein Abendessen einpacken lassen. Oder man nimmt an einem der kleinen Tische Platz und isst mit anderen Marktbesuchern zusammen.

DER WOCHENMARKT
Auf dem wöchentlich stattfindenden *talat nat* kann sich die thailändische Hausfrau dann noch zusätzlich mit Körben, Werkzeug, Kleidung und Schuhen versorgen. Daneben findet sich ein unüberschaubares, buntes Sammelsurium von Waren und Gegenstände, die im thailändischen Alltag

wichtig sind. Da liegen Amulette neben Metallwoks, es gibt Spielzeug und Plastikblumen, alles bunt gemischt. Fisch neben Schuhen und frische Papayas neben CDs mit Thai-Pop – das Ganze überdeckt von verschiedensten Gerüchen der Garküchen sowie den streng riechenden eingelegten Fischen. Die *talat-nat*-Märkte mit ihrem je nach Jahreszeit wechselnden Angebot finden im Gegensatz zu den Frischmärkten allerdings nur an bestimmten Tagen statt. Auch die Märkte auf den Flüssen und Kanälen, die *talat nam* sind nach dem gleichen Prinzip organisiert. Alle Wochenmärkte liegen relativ nah beieinander, sodass man die Möglichkeit hat, bei Bedarf im nächsten Dorf einzukaufen.

In früheren Zeiten boten diese Märkte die einzige Möglichkeit, um Waren und Neuigkeiten auszutauschen. Man tauschte Reis gegen getrocknete Fische, frische Mangos gegen Hähnchen, Meersalz gegen Messer, Körbe gegen Stoffe. Heute finden kaum noch Tauschgeschäfte statt, stattdessen freut man sich auf ein paar bunte, unterhaltsame Stunden auf dem Markt.

FÜR FESTLICHE ANLÄSSE

Das Warenangebot ändert sich, wenn ein besonderer Feiertag bevorsteht, und davon gibt es viele, vom thailändischen Neujahrsfest *songkran* im April bis hin zum *loy krathong* im November, – einem zauberhaften Fest, bei dem die Wassergeister geehrt und um Verzeihung gebeten werden für alles, was der Mensch den Gewässern antut. Vor dem chinesischen Neujahr werden beachtliche Mengen an Hühnern und Enten, Mandarinen und Reisküchlein angeboten. Es gibt ganz bestimmte Süßigkeiten, besondere Blumendekorationen und vor *loy krathong* auch hübsche Blumengestecke mit Räucherstäbchen und Kerzen. Die werden in kleine zu Lotosblüten gefaltete Papier- oder Bambusboote gesetzt und in der November-Vollmondnacht zu Wasser gelassen.

Thailändische Märkte sind eine Ode an die Vielfalt des Lebens und die Geselligkeit. Kein Wunder, dass die Thais ihre Märkte lieben. Man kommt auch ganz einfach dorthin: Auf die Frage »*talat ti nai?*« (das heißt etwa: »Wo ist der nächste Markt?«) weist einem jeder Thai nur allzu gerne den Weg.

1

2

3

4

5

6

7

8

9

1 AUBERGINEN – MAKÜA

Die Aubergine mit ihren vielen Arten zählt zu den wichtigsten Gemüsen in Thailand. Die abgebildete erbsengroße Aubergine *phuang* wächst in Trauben an einem kleinen Busch. Sie wird nur gekocht verwendet und schmeckt etwas bitter. Die runden grün-weißen Auberginen *makeur* werden auch roh als Beilage zu *nam-prik*-Saucen, gegart in Currys und pfannengerührten Gerichten gegessen. Die runden lilafarbenen Auberginen verwendet man ebenfalls in Currys. Außerdem gibt es ovale weiße und längliche dunkelviolette Auberginen. Diese beiden Sorten können in Curry oder zu *nam-prik*-Saucen gegart werden.

2 BAMBUS – NOH MAAI

Bambus wächst sowohl wild als auch kultiviert und ist ein wichtiger Rohstoff, der vielseitig genutzt wird. Die jungen Schößlinge von einigen Bambusarten werden in der Küche verwendet. Da die rohen Sprossen ein Gift enthalten, müssen sie unbedingt gekocht werden. Auf den Märkten und im Lebensmittelladen in Thailand werden rohe ganze Bambussprossen angeboten. Man bekommt sie aber auch zerkleinert, vorgekocht oder sauer eingelegt in Dosen und Gläsern.

3 BITTERGURKE – MARA

Die kleine ovale wilde Bittergurke nennt man in Thailand *mara ki nok*. Die jungen Früchte können fein geschnitten roh verzehrt werden, schmecken jedoch ziemlich bitter.

Meistens gart man die Früchte in Wasser und isst sie mit anderen Gemüsen zu einem *nam-prik*-Gericht. Ihre große Schwester, die chinesische Bittergurke (Bild Seite 293), hat einen intensiveren Bittergeschmack und wird immer gekocht.

4 THAI-BOHNE
TUA FAK YAO

Diese Bohne ist eine einjährige Kletterpflanze. Sie wird auch Schlangenbohne oder Spargelbohne genannt. Die 30–50 cm langen Bohnen sind in Thailand auf jedem Markt zu finden und werden gern und oft gegessen. Man verwendet sie in Currys, für Suppen und für pfannengerührte Gerichte. Knackige Thai-Bohnen isst man auch roh im Salat und zu *nam-prik*-Saucen.

5 DORNENGRASGEMÜSE
CHA OMM

Trotz ihres intensiven und strengen Geruchs werden die jungen fein gefiederten Blätter des Akazienbaums (acacia pennata) in Thailand und den nördlichen Nachbarländern sehr gern gegessen. Sobald man die Blätter kocht, verlieren sie ihren unangenehmen Geruch und schmecken angenehm nussig. Am liebsten werden sie mit Eiern zu einem Omelett gebraten (Rezept Seite 32) oder für Currys verwendet.

6 KÜRBIS – FAK THONG

Kürbisse gibt es in Thailand in vielen Arten. Man verwendet sie sowohl grün als auch reif. Grüne junge Gartenkürbisse werden in

Wasser gegart und zu *nam-prik*-Saucen gereicht. Man isst nicht nur die Frucht, sondern auch Blüten, junge Blätter und Kerne. Auch feine Süßspeisen werden aus Kürbisfruchtfleisch hergestellt.

7 PAK CHOI
PAGGAD KIAUW

Zu den beliebten Kohlarten gehört auch der chinesischer Senfkohl, besser bekannt als Pak Choi. Junger Pak Choi hat knackige Blätter und eignet sich bestens für ein schnelles Braten im Wok. In Thailand wird der chinesische Senfkohl vor allem sauer-salzig oder süßsauer eingelegt (Rezept Seite 298).

8 SOJASPROSSEN
TUA NGOG

Sojasprossen gibt man in Thailand roh zu Currys und Nudelgerichten, kurz gegart als Beilage zu Nudelsuppen oder – ganz klassisch – als pfannengerührtes Wok-Gericht. Beim Kauf von Sojasprossen sollte man darauf achten, dass die Spitzen weißgelblich sind und keine rosa Verfärbungen aufweisen. Die Bezeichnung Sojasprosse ist irreführend, da es eigentlich die Keimlinge von Mungobohnen sind.

9 TURIBAUM-BLÜTEN-
KNOSPEN – DOK KAE

Der Turibaum wächst nur in heißem und feuchtem Klima. Die Blüten sind leicht bitter und werden in der Thai-Küche gern in ein oranges Curry gegeben oder kurz gegart und dann zu einer *nam-prik*-Sauce gegessen.

1

2

3

4

5

6

7

8

9

1 THAI-BASILIKUM
BAI HORAPHA

Die Blätter des süßen *horapha* gibt man in grüne und rote Currys, zu pfannengerührten Gerichten und in Salate. Frische Zweige werden gern zu scharfen Dips gereicht, da die Blätter eine erfrischende Wirkung haben. Der Geschmack erinnert etwas an Anis, Lakritze und Minze. Die hübsche Pflanze kann auch auf dem Balkon oder im Garten gezogen werden.

2 ZITRONENBASILIKUM
BAI MENGLAK

Die hellgrünen Blätter des Zitronenbasilikums erinnern vom Duft an Zitrone und Thymian. In der Thai-Küche werden sie für Suppen und Currys verwendet. Für das pikante Gemüse-Curry auf Seite 316 ist Zitronenbasilikum unersetzbar. Das afrikanische oder wilde Basilikum *bai yira* wird in der Thai-Küche für scharfe rote Currys verwendet. Die Blätter schmecken pikant-würzig.

3 INDISCHES BASILIKUM
BAI GRAPAU

Die Blätter von *grapau* sind klein und haben einen intensiven, fast scharfen Geschmack. Sie geben dem berühmten pfannengerührten Chili-Knoblauch-Hähnchenfleisch-Gericht *pad grapau* (Rezept Seite 219) seinen unverwechselbaren Geschmack. Frisches grünes, manchmal auch rotes *grapau* bekommen Sie im Asienladen, oft auch mit Blüten.

4 KORIANDER – PAK TSCHI

Frischer Koriander mit Wurzel kommt in Thailand fast täglich zum Einsatz. Die Wurzeln werden für Currypasten gestampft, frische Blättchen zum Garnieren von Salaten und Suppen verwendet. Der Geruch von Koriander ist sehr intensiv. Die Samen müssen vor Gebrauch geröstet werden, da sie sonst bitter schmecken.

5 KAFFIRLIMETTE
BAI MAKRUT

Die aromatischen Blätter der Kaffirlimette verleihen vielen Thai-Gerichten den frischen zitronigen Duft und Geschmack. Frische Zweige mit Blättern oder tiefgekühlte Blätter bekommt man im Asienladen. Getrocknet verlieren sie ihren feinen Geschmack. Frische Blätter können Sie gut selber einfrieren. Vorher abspülen, trocken tupfen und in eine Tiefkühlbox geben.
Die schrumpelige Schale der Kaffirlimette verleiht vielen Curry-Pasten den frischen Zitrusgeschmack. Nur die grüne Schale fein abreiben, das weiße Fleisch darunter ist sehr bitter.

6 PAKALANABLÜTEN
DOK SALID

Während der Sommermonate trägt diese Rankpflanze unzählige gelbe Blütenbüschel. Sie sind in Thailand ein beliebtes Gemüse und werden im Wok angebraten oder gekocht gegessen. Die Blüten verströmen tagsüber und nachts einen starken Duft. Pakalanablüten bekommt man manchmal im Sommer im Asienladen.

7 PANDANUSBLÄTTER
BAI TOI

Der Pandanus- oder Schraubenbaum ist eine immergrüne Pflanze. Der Geschmack der Blätter ist äußerst angenehm. Das Aroma ist leicht nussig und Vanille-ähnlich. Es entfaltet sich nur bei frischen oder leicht gewelkten Blättern. Sie werden gerne für Nachspeisen verwendet, wobei der hohe Anteil an Chlorophyll in den Blättern als natürlicher grüner Farbstoff genutzt wird. Die Blätter verwendet man auch als duftende Verpackung von Fleisch und Fisch. Dabei dienen sie nur zum Aromatisieren und werden nicht mitgegessen. Frische Blätter findet man in vielen Asienläden.

8 FRÜHLINGSZWIEBELN
THON HOM

Sie werden in der Thai-Küche beinahe täglich verwendet. Thai-Frühlingszwiebeln sind zart und klein. Ihr milder, frischer Geschmack dient zur Abrundung von Suppen, Salaten und Wok-Gerichten.

9 SCHNITTKNOBLAUCH
GUI TSCHAI

Schnittknoblauch hat einen scharf-aromatischen Geschmack. Verwendet werden die Blätter und Blütenknospen, sowohl roh als auch gedünstet. Ein bekanntes Gericht ist pfannengerührter Tofu mit Schnittknoblauch und Austernsauce, außerdem ist er eine wichtige Zutat für *pad thai*. Als Ersatz können Sie Schnittlauch nehmen. Infos zur chinesischen Bittergurke finden Sie auf Seite 291.

GURKEN UND GRÜN-WEISSE THAI-AUBERGINEN

BAMBUSSPROSSEN

VIELERLEI GEMÜSE MIT KOKOSDIP
THAUW JIAUW LON

1. Rohe Gemüse je nach Sorte waschen und putzen oder schälen und in mundgerechte Stücke schneiden. Die Gemüse vor dem Servieren in sehr kaltes Wasser legen, damit sie knackig bleiben.

2. Gemüse zum Blanchieren waschen und putzen oder schälen und in mundgerechte Stücke schneiden. In einem großen Topf reichlich Wasser mit Zucker und Salz aufkochen, das Gemüse ins sprudelnde Wasser geben und bei großer Hitze knackig garen. Für Kohlblätter und Zuckerschoten reichen 2–3 Min., für Thai-Bohnen, Spargel, Okraschoten und Gemüseblüten ca. 5 Min. und für Thai-Auberginen *makeur,* Babymaiskolben, Möhren, Brokkoli, Blumenkohl, Kürbis und Luffa (Bittergurke) ca. 10 Min. Gegarte Gemüse mit dem Schaumlöffel aus dem Wasser holen und kalt abschrecken.

3. Für den Dip die Tamarindenpaste in 6 EL Wasser einweichen. Die Garnelen kalt abbrausen, trocken tupfen und mit einem scharfen Messer fein schneiden. Die Schalotten schälen und fein hacken, die Chilischoten waschen, putzen und in 1 cm breite Stücke schneiden. Die Tamarindenpaste mit den Fingern ausdrücken und 4 EL Saft abnehmen. Den Rest wegwerfen.

4. In einer Schüssel das Garnelenfleisch mit dem Hackfleisch und der Sojabohnenpaste gut vermischen. Die Kokosmilch im Wok aufkochen und die Sojabohnen-Garnelen-Fleisch-Mischung unterrühren. Die Kokosmilch zum Kochen bringen und alles bei mittlerer Hitze unter gelegentlichem Rühren ca. 5 Min. köcheln. Schalotten, Chilis, Palmzucker, Fischsauce und das Tamarindenwasser dazugeben. Alles ca. 4 Min. weiterköcheln lassen.

5. Den Kokosdip in eine Schale umfüllen und mit dem rohen und blanchierten Gemüse und Jasminreis oder Klebreis (Seite 145) servieren.

TIPP
Zum rohen Genuss eignen sich z. B. Gurken, grüne Mango, Chinakohlblätter, junge Spinatblätter, Frühlingszwiebeln, junge Flügelbohnen, grüne Apfelschnitze, Chicorée, Möhren und Thai-Basilikum.
Blanchiert genießt man zu diesem Dip z. B. Babymaiskolben, Möhren, grünen Spargel, Okraschoten, Gartenkürbis mit Blüten, Thai-Auberginen, Thai-Bohnen, Kohlblätter, wilde Bittergurke, Zucchini, Brokkoli, Blumenkohl und Zuckerschoten.

Für 4 Personen
Für das Gemüse:
rohes Gemüse nach Wahl (siehe Tipp)
Gemüse zum Blanchieren nach Wahl (siehe Tipp)
1 TL Zucker
1 TL Salz
Für den Dip:
50 g saure Tamarindenpaste
200 g rohe Garnelen ohne Schale
8 kleine rote Schalotten
4 lange rote Chilischoten
200 g gemischtes Hackfleisch
200 g Sojabohnenpaste
½ l Kokosmilch
50 g Palmzucker
1 TL Fischsauce

Zubereitungszeit:
1 Std.
Pro Portion ca.
525 kcal

Für 6–8 Personen für den Vorrat

600 g Pak Choi (chinesischer Senfkohl)

½ EL Salz

3 EL Reisessig

1 EL gekochter Reis

Zubereitungszeit:
20 Min.

Trockenzeit:
2 Std.

Marinierzeit:
mind. 5 Tage

Bei 8 Portionen pro Portion ca.
7 kcal

PAGGAD KIAUW DOHNG

1. Vom Kohl die äußeren Blätter entfernen. Den Kohl halbieren, harte Stiele abschneiden, die Blätter waschen und gut trocken tupfen. In die Sonne legen und ca. 2 Std. trocknen lassen.

2. Kohl in eine Glasschüssel geben, das Salz dazugeben und beides mit den Händen gut vermischen, dabei den Kohl etwas zusammendrücken. Den Reisessig und den gekochten Reis hinzufügen und gut untermischen. 300 ml Wasser darübergießen und das Gemüse so weit hineindrücken, bis es mit Wasser bedeckt ist.

3. Die Schüssel mit einem Küchentuch abdecken und den Kohl mindestens 5 Tage an einem sonnigen Platz bei Zimmertemperatur ziehen lassen. Je länger das Gemüse zieht, desto intensiver wird der Geschmack.

4. Den eingelegten Kohl mit Frischhaltefolie abgedeckt im Kühlschrank aufheben und vor Gebrauch kurz abspülen.

VARIANTE

EINGELEGTER WEISSKOHL

1 Weißkohl (800–1000 g) putzen, waschen, trocken tupfen und in Viertel schneiden. Die Viertel in Streifen schneiden und auf einem Tuch ausgebreitet mindestens 2 Std. antrocknen lassen. In einer Glasschüssel mit ½ **EL Salz** bestreuen und mit den Händen gut vermischen, dabei leicht drücken. **3 EL Reisessig, 1 EL gekochten Reis** und ½ l Wasser dazugeben und den Kohl hineindrücken, sodass er mit Wasser bedeckt ist. Den Kohl mit einem Tuch abgedeckt mindestens 3 Tage an einen sonnigen Platz ziehen lassen. Im Kühlschrank hält er sich mit Frischhaltefolie abgedeckt ca. 1 Woche. Man reicht ihn zu *Laab*-Salaten (Seite 84 und 86), zu *nam prik,* zu gebratenem Fleisch oder zu Reissuppen, z. B. *khao thom muh* (Seite 128).

Für 4 Personen

300 g Sojasprossen

400 g fester gelber Tofu

6 kleine Frühlingszwiebeln

5 Knoblauchzehen

3 EL Öl

½ EL Zucker

3 EL vegetarische Austernsauce
evtl. grob gemahlener
schwarzer Pfeffer

Zubereitungszeit:
15 Min.
Pro Portion ca.
245 kcal

SOJASPROSSEN MIT TOFU

PAD TUA NGOG SAI TAHU

1. Die Sojasprossen waschen und abtropfen lassen, den Tofu in 2 cm große Würfel schneiden. Die Frühlingszwiebeln waschen, putzen und in 2 cm lange Stücke schneiden. Den Knoblauch schälen und fein hacken.

2. Das Öl im Wok erhitzen. Den Tofu hineingeben und unter Rühren goldbraun anbraten, dann den Knoblauch zugeben und unter Rühren weiterbraten, bis der Knoblauch fein duftet. Die Sojasprossen, den Zucker und die Austernsauce zufügen und alles bei großer Hitze ca. 2 Min. braten.

3. Die Hitze reduzieren und die Frühlingszwiebelstücke untermischen, kurz erwärmen, den Wok vom Herd nehmen und das Gemüse auf einer Platte anrichten. Nach Belieben mit etwas schwarzem Pfeffer abschmecken.

Für 4 Personen

200 g sauer eingelegter Pak Choi
(Rezept Seite 298 oder aus
dem Glas)

8 Knoblauchzehen

5 Frühlingszwiebeln

3 EL Öl

4 Eier

1 TL Zucker

Zubereitungszeit:
20 Min.
Pro Portion ca.
190 kcal

SAUER EINGELEGTER PAK CHOI MIT EIERN

PAGGAD KIAUW DOHNG PAD SAI KAI

1. Selbst eingelegten Kohl kurz abspülen und abtropfen lassen. Kohl aus dem Glas abtropfen lassen. Abgetropften Kohl in ca. 5 mm dicke Streifen schneiden. Den Knoblauch schälen und fein hacken. Die Frühlingszwiebeln waschen, putzen und in feine Röllchen schneiden.

2. Das Öl im Wok erhitzen, den Knoblauch hineingeben und glasig braten, dann die Eier direkt in den Wok schlagen und mit dem Holzspatel umrühren, bis die Eier leicht stocken. Die Gemüsestreifen dazugeben und bei kleiner Hitze ca. 10 Min. braten. Das Gericht mit dem Zucker abschmecken, nochmals gut verrühren. Den Wok vom Herd nehmen und den Senfkohl mit Eiern auf einer Platte anrichten. Mit den Frühlingszwiebelröllchen bestreuen.

SOJASPROSSEN MIT TOFU

MIENG KHAM

1. Für den Sirup in einem Topf den Palmzucker, das Salz und die Garnelenpaste mit 5 EL Wasser aufkochen. Alles bei sehr kleiner Hitze in 10–15 Min. unter ständigem Rühren zu einem klebrigen Sirup kochen. Den Sirup im Topf auskühlen lassen.

2. Das Kokosnussfleisch in sehr feine, 5 mm lange Streifchen schneiden und im Wok ohne Fett braun rösten, In ein Schälchen umfüllen und auskühlen lassen. Die Erdnüsse im Wok ohne Fett braun rösten.

3. Die getrockneten Garnelen im Wok ohne Fett ca. 3 Min. unter ständigem Rühren mit dem Holzspatel rösten.

4. Die Schalotten schälen und in feine, 5 mm lange Streifchen schneiden. Die Ingwerwurzel sparsam schälen und in feine 5 mm lange Streifchen schneiden.

5. Die Bio-Limette heiß waschen und abtrocknen. Mit der Schale in ca. 5 mm große Würfel schneiden. Die Vogelaugenchilis waschen, putzen, in feine Ringe schneiden. Alle vorbereiteten Zutaten jeweils in kleine Schälchen füllen. Die Betelpfefferblätter vorsichtig waschen, gut trocken tupfen und auf einen Teller legen.

6. Den Teller mit den Betelpfefferblättern und alle Schälchen mit je einem kleinen Löffel auf einem Tablett anrichten und servieren. Zum Essen nimmt man ein Betelpfefferblatt in die Hand, legt die verschiedenen Zutaten nach Geschmack und Vorliebe in die Mitte des Blattes und beträufelt sie mit etwas Sirup. Die Blätter von Hand zu Päckchen zusammenlegen und essen.

Für 4–8 Personen als Vorspeise
Für den Sirup:

300 g	Palmzucker
½ TL	Salz
1 EL	Garnelenpaste

Für die Päckchen:

100 g	festes weißes Kokosnussfleisch (ersatzweise Kokosraspel)
150 g	ungesalzene Erdnüsse
50 g	kleine getrocknete Garnelen
5	kleine rote Schalotten
1	Stück junger Ingwer (10 cm)
1	Bio-Limette
20	Vogelaugenchilis
40	Betelpfefferblätter

Zubereitungszeit:
40 Min.
Bei 8 Portionen pro Portion ca.
315 kcal

INFO

Betelpfefferblätter gehören – wie schon der Name sagt – zu den Pfeffergewächsen. Es gibt verschiedene Sorten, wobei sich die Blätter im Geschmack unterscheiden. Dem Blatt wird eine stimulierende und antiseptische Wirkung nachgesagt, weshalb es gerne als Erfrischung gekaut wird. In Thailand isst man Betelpfefferblätter mit verschiedenen Zutaten und Pasten oder Sirups. Nicht zu verwechseln mit den Betelpriems, die seit Jahrtausenden gekaut werden. Dabei werden mit den Blättern auch geriebene Betel- oder Areca-Nuss, gelöschter Kalk und Gewürze gekaut. Durch das Kauen färbt sich der Speichel rot und die Zähne schwarz. Man sieht heute fast nur noch ältere Leute, die dieser Gewohnheit nachgehen.

WASSERSPINAT MIT CHILI UND KNOBLAUCH

GEMISCHTES GEBRATENES GEMÜSE
PAD PAK RUAM

1. Alle Gemüse waschen und abtropfen lassen. Die Babymaiskolben längs in feine Streifen schneiden, die Möhren schälen und in dünne Scheiben schneiden, den Brokkoli in kleine Röschen teilen, die Brokkolistiele klein schneiden. Den Chinakohl halbieren und dann quer in 1 cm breite Streifen schneiden. Oder die Zuckerschoten waschen und halbieren und den Sellerie waschen, putzen und klein schneiden. Die Pilze putzen und halbieren.

2. Die Frühlingszwiebeln waschen, putzen und in 3 cm lange Stücke schneiden. Den Knoblauch schälen und fein hacken.

3. Das Öl im Wok erhitzen und den Knoblauch darin anbraten, bis er zu duften beginnt. Maiskolben, Möhrenscheiben, Brokkoli, Chinakohl und Pilze dazugeben. Zucker, Austernsauce, Fischsauce und Limettensaft ebenfalls hinzufügen und alles unter Rühren 7–10 Min. braten. Sobald das Gemüse bissfest oder nach Wunsch gegart ist, die Frühlingszwiebeln und 3 EL Wasser unterrühren. Das Gericht auf einer Platte anrichten und mit weißem Pfeffer abschmecken.

TIPP
Zum gebratenen Gemüse passen auch ungesalzene Cashewnüsse oder Erdnüsse. Eine Handvoll Nüsse gleichzeitig mit dem Gemüse in den Wok geben und mitbraten.

Für 4 Personen
200 g Babymaiskolben
150 g Möhren
100 g Brokkoliröschen
100 g Chinakohl oder 50 g Zuckerschoten und 1 Stange chinesischer Schnittsellerie
150 g frische Pilze (z. B. Strohpilze, Champignons)
5 Frühlingszwiebeln
5 Knoblauchzehen
4 EL Öl
1 TL Zucker
5 EL vegetarische Austernsauce
2 EL Fischsauce
1 EL Limettensaft
frisch gemahlener weißer Pfeffer

Zubereitungszeit: 25 Min.
Pro Portion ca. 200 kcal

WASSERSPINAT MIT CHILI UND KNOBLAUCH
PAK BUNG FAI DÄNG

1. Den Wasserspinat waschen und gut abtropfen lassen. Von den Stängeln unten ca. 3 cm abschneiden und wegwerfen. Den übrigen Spinat in der Mitte durchschneiden und in eine Schüssel geben. Die Sojabohnenpaste, die Austernsauce und den Zucker über das Gemüse geben.

2. Die Chilis waschen, putzen und mit dem Messerrücken oder dem Stößel etwas quetschen. Den Knoblauch schälen und fein hacken.

3. Das Öl im Wok stark erhitzen, Knoblauch und Chilis hineingeben, einmal umrühren, dann die Spinatblätter dazugeben und bei großer Hitze unter ständigem Rühren 3–5 Min. braten. Auf einer Platte anrichten und servieren.

Für 4 Personen
500 g Wasserspinat oder nicht zu große Spinatblätter
1 EL Sojabohnenpaste
2 EL vegetarische Austernsauce
1 TL Zucker
5–10 frische lange rote Chilischoten
5 Knoblauchzehen
5 EL Öl

Zubereitungszeit: 15 Min.
Pro Portion ca. 180 kcal

GEBRATENE GEMISCHTE FRÜCHTE UND GEMÜSE
PAD PONLAMAAI RUAM

Für 4 Personen
5 Knoblauchzehen
1 Möhre
1 unreife grüne Thai-Mango
250 g Ananasfruchtfleisch
100 g Wasserkastanien (Dose)
2 große feste Bananen
5 Frühlingszwiebeln
2 EL Öl
4 EL vegetarische Austernsauce
frisch gemahlener schwarzer Pfeffer

Zubereitungszeit:
20 Min.
Pro Portion ca.
215 kcal

1. Den Knoblauch schälen und fein hacken. Die Möhre waschen, schälen und in feine Scheiben hobeln. Die Mango schälen, das Fruchtfleisch vom Kern schneiden und in Spalten schneiden. Das Ananasfruchtfleisch in ca. 1 cm dicke Scheiben schneiden. Die Wasserkastanien abtropfen lassen und halbieren oder vierteln. Die Bananen schälen und in 5 mm dicke Scheiben schneiden. Die Frühlingszwiebeln waschen, putzen und in 1–2 cm lange Stücke schneiden.

2. Das Öl im Wok erhitzen, den Knoblauch hineingeben und unterrühren. Möhrenscheiben, Mango, Ananas, Wasserkastanien und Austernsauce dazugeben und bei großer Hitze ca. 1 Min. braten, die Möhren sollen bissfest sein. Falls nötig, 3–4 EL Wasser dazugeben. Zum Schluss die Bananenscheiben und die Frühlingszwiebeln vorsichtig unterheben. Den Wok vom Herd nehmen, das Ganze auf einer Platte anrichten und mit Pfeffer abschmecken.

TIPP
Das Gericht schmeckt auch mit anderen festen und nicht zu reifen Früchten, z. B. mit Äpfeln, Birnen, Aprikosen oder Nektarinen. Wer möchte, gibt mit dem Knoblauch ein paar ungeröstete Erdnüsse oder Cashewnüsse dazu. Für Extra-Würze können Sie das Gericht noch mit Limettensaft und Fischsauce abschmecken.

JUNGER KÜRBIS IN KOKOSSAUCE

SCHLANGEN-AUBERGINEN MIT SCHWEINEHACKFLEISCH
MAKÜA YAO MUH BOT

1. Den Backofen auf 225° (Umluft 200°) vorheizen. Die Auberginen waschen, trocken tupfen und mit einem Holzstäbchen ein paar Löcher einstechen. Die Auberginen auf ein Backblech legen und im heißen Ofen (Mitte) ca. 30 Min. rösten, bis die Schale schwarze Stellen bekommt und sich ablösen lässt. Auberginen etwas abkühlen lassen. Die Haut abziehen, die Auberginen in 5 cm lange Stücke schneiden und auf einen Teller legen.

2. Den Knoblauch schälen und fein schneiden. Das Basilikum waschen und trocken schütteln, die Blätter abzupfen und beiseitelegen.

3. Das Öl im Wok erhitzen, den Knoblauch darin glasig anbraten. Das Hackfleisch zugeben und unter Rühren 3–4 Min. kräftig anbraten. Austernsauce, Zucker und 3 EL Wasser zugeben, umrühren und aufkochen.

4. Die Auberginenstücke hinzufügen, vorsichtig unterheben und heiß werden lassen. Die Basilikumblätter unterheben. Den Wok vom Herd nehmen, die Auberginen vorsichtig herausnehmen, auf eine Platte legen und das Hackfleisch darauf verteilen. Mit Pfeffer abschmecken und servieren.

Für 4 Personen
500 g Schlangen-Auberginen (ersatzweise längliche, nicht zu dicke lila Auberginen)
5 Knoblauchzehen
½ Bund Thai-Basilikum
2 EL Öl
200 g Schweinehackfleisch
2 EL vegetarische Austernsauce
1 TL Zucker
frisch gemahlener weißer Pfeffer

Zubereitungszeit:
20 Min.
rösten:
30 Min.
Pro Portion ca.
225 kcal

JUNGER KÜRBIS IN KOKOSSAUCE
FAK THONG OHN GATI SOT

1. Den Kürbis waschen und sparsam schälen. Dann halbieren, vierteln und die Viertel eventuell nochmals durchschneiden. Den Knoblauch schälen und fein hacken. Das Basilikum waschen und trocken schütteln, die Blätter abzupfen und beiseitelegen.

2. Die Kokosmilch im Wok aufkochen. Salz, Zucker und Knoblauch dazugeben und ca. 1 Min. kochen lassen. Die Kürbisstücke hinzufügen, nicht umrühren. Das Gemüse zugedeckt bei sehr kleiner Hitze 10–12 Min. köcheln, bis der Kürbis gar ist.

3. Den Wok vom Herd nehmen und die Kürbisstücke vorsichtig mit einer Schaumkelle aus der Kokosmilch heben. Auf einer Platte anrichten. Die Basilikumblätter in die Kokosmilch geben und kurz unterrühren. Die Kokossauce über die Kürbisstücke gießen. Mit Pfeffer abschmecken.

Für 4 Personen
1 kg junger Gartenkürbis
5 Knoblauchzehen
1 Bund Thai-Basilikum
600 ml Kokosmilch
1 TL Salz
½ TL Zucker
grob gemahlener schwarzer Pfeffer

Zubereitungszeit:
20 Min.
Pro Portion ca.
325 kcal

GEMÜSECURRY AUS NORDOST-THAILAND
GÄNG LIANG

Für 4 Personen
Für die Currypaste:

1–2 Krachai-Wurzeln
(10 g zerkleinert)

2 kleine rote Schalotten
(30 g zerkleinert)

1 Stängel Zitronengras
(25 g zerkleinert)

10 getrocknete lange rote
Chilischoten

1 TL schwarze Pfefferkörner

1 EL Garnelenpaste
Für das Curry:

200 g gelbes Kürbisfruchtfleisch
(z. B. Hokkaido)

2 frische Maiskolben

2 große Luffa-Gurken
(ersatzweise Zucchini)

150 g gemischte frische Pilze

200 g junge Spinatblätter

1 Bund Zitronenbasilikum

1 EL Salz

evtl. Fischsauce zum
Abschmecken

Zubereitungszeit:
40 Min.
Pro Portion ca.
90 kcal

1. Für die Paste die Krachai-Wurzeln waschen und klein schneiden. Die Schalotten schälen und klein schneiden, das Zitronengras waschen, die äußeren Blätter entfernen. Innere Stängel waschen und in kleine Röllchen schneiden. Alles mit den getrockneten Chilischoten, den Pfefferkörnern und der Garnelenpaste im Mörser zu einer Paste stampfen.

2. Für das Curry den Kürbis schälen und in kleine Stücke schneiden, die Maiskörner vom Kolben abschneiden, die Luffa-Gurken schälen und in 2 cm dicke Scheiben schneiden. Die Pilze putzen und je nach Größe halbieren oder vierteln, den Spinat waschen, putzen und gut abtropfen lassen. Das Basilikum waschen, trocken schütteln und die Blätter abzupfen.

3. In einem Topf 1 l Wasser aufkochen. Currypaste und Salz zugeben und umrühren. Kürbisstücke und Maiskörner dazugeben, die Flüssigkeit aufkochen lassen und die Gemüse bei mittlerer Hitze ca. 5 Min. kochen.

4. Die Luffa-Gurke und die Pilze zugeben und weitere 5 Min. köcheln lassen, bis die Gemüse gar sind. Spinatblätter und Basilikum zugeben und unterrühren. Den Topf vom Herd nehmen, das Curry kurz ruhen lassen und in eine tiefe Schüssel umfüllen. Nach Belieben mit Fischsauce abschmecken.

INFO
Dieses Curry wird traditionell oft mit etwas Fisch angereichert, der das Curry leicht bindet. Es heißt dann *gäng liang pla*. Dafür wird etwa 50 g Forellenfilet in Salzwasser oder Brühe gegart und abgekühlt mit der Currypaste zerstoßen. Oder es werden 2 EL getrocknete, gemahlene Garnelen zur Paste gegeben. Die fertige Paste sollte dann im Mörser mit etwas heißem Wasser verdünnt werden, bevor sie in das kochende Wasser gegeben wird. Sie löst sich dann besser auf.

WOLKENOHRPILZE MIT HÜHNERBRUST UND INGWER
PAD HED HU NUH GAI SAI KING

1. Die getrockneten Wolkenohrpilze mit heißem Wasser übergießen und ca. 20 Min. einweichen. Ausdrücken, die harten Teile abschneiden und die Pilze vierteln.

2. Das Hähnchenbrustfilet waschen, trocken tupfen und in mundgerechte Stücke schneiden. Den Ingwer sparsam schälen und in feine, 1 cm lange Streifen hobeln. Den Knoblauch schälen und fein hacken. Die Frühlingszwiebeln waschen, putzen und in 2 cm lange Stücke schneiden.

3. Das Öl im Wok erhitzen. Den Knoblauch dazugeben und unterrühren. Die Hähnchenstücke dazugeben und 2–3 Min. unter Rühren kräftig anbraten. Ingwer, Pilze, Austernsauce, Sojasauce und Zucker dazugeben, kurz unterrühren, dann 4 EL Wasser dazugeben. Alles bei mittlerer Hitze unter ständigem Rühren ca. 10 Min. weiterbraten, bis die Pilze gar sind.

4. Die Frühlingszwiebeln dazugeben, unterheben und alles auf einer Platte anrichten. Nach Belieben mit schwarzem Pfeffer abschmecken.

VARIANTE
Statt der Wolkenohrpilze können Sie auch eine Mischung aus etwa 250 g frischen und getrockneten Pilzen verwenden. Nach Geschmack können Sie es auch mit Möhrenstreifen, längs halbierten Babymaiskolben und chinesischem Schnittsellerie anreichern.

Für 4 Personen
100 g getrocknete Wolkenohrpilze (Mu Err)
250 g Hähnchenbrustfilet
100 g junger Ingwer
5 Knoblauchzehen
3 Frühlingszwiebeln
3 EL Öl
4 EL vegetarische Austernsauce
2 EL helle Sojasauce
1 TL Zucker
evtl. frisch gemahlener schwarzer Pfeffer

Zubereitungszeit:
35 Min.
Pro Portion ca.
195 kcal

SÜSSES

DESSERTS – EINE BITTERSÜSSE GESCHICHTE

THAILÄNDISCHE DESSERTS WERDEN WIE IN EUROPA ZUM ABSCHLUSS EINES ESSENS ODER MENÜS SERVIERT UND BERUHIGEN DEN GAUMEN NACH DEN VORANGEGANGENEN AUFREGEND-PIKANTEN GERICHTEN. EIN THAILÄNDISCHES ESSEN IST ZUDEM ERST PERFEKT, WENN ALLE GE-SCHMACKSRICHTUNGEN IN IHM VORKOMMEN, WESHALB ZUM GUTEN SCHLUSS »SÜSS« AUF DEM PROGRAMM STEHT.

Aus thailändischen Früchten lassen sich zu jeder Jahreszeit eine Fülle wunderbarer, außergewöhnlicher Desserts zubereiten. Je nach Saison gibt es Mango oder Rambutan, Mangostane oder Zuckeräpfel, Honigmelone oder Litschi. Papaya, Bananen und Ananas sind das ganze Jahr über erhältlich. Gerne servieren die Thailänder als Dessert auch eine Schale mit kunstvoll geschnitztem Obst.

Viele Thai-Desserts werden aus frischem Kokosnussfleisch, eingedickter Kokosnussmilch und Reismehl hergestellt. Inspiriert sind die süßen Kunstwerke durch die exotische Natur des Landes und ihre überwältigende Farben- und Formenvielfalt. Ebenso bereichernd wirkten in der Vergangenheit aber auch Einflüsse aus den angrenzenden Ländern und aus Europa.

SÜSSES AUS DER PALASTKÜCHE

Seit Hunderten von Jahren wurden die Rezepte, die früher vor allem Adligen und Wohlhabenden vorbehalten waren, da sie recht aufwendig in der Zubereitung sind, in den Palastküchen gehegt und gepflegt. Einige von ihnen fanden sogar Eingang in die klassische thailändische Literatur, wie etwa in die Erzählungen der *traiphum phra ruang,* der berühmten buddhistischen Lehrschrift »Die drei Welten des König Ruang«. Stetig wachsender Beliebtheit erfreuten sich Süßspeisen zur Zeit des blühenden Handelszentrums Ayutthaya. So finden sich historische Aufzeichnungen über einen *talat khanom,* einen Dessert-Markt und ein Dorf, in dem ausschließlich Töpfe und Töpfchen, Schüsseln und Schüsselchen hergestellt wurden, die für die Zubereitung von Süßspeisen reserviert waren.

EUROPÄISCHE EINFLÜSSE

Eine entscheidende Rolle in der langen Geschichte der Thai-Desserts spielte auch eine junge Ausländerin. Marie Guimar bereicherte im Lauf ihres wechselvollen Lebens die thailändische Küche mit vielen portugiesisch inspirierten Desserts. Insbesondere der Gebrauch von Eiern, die vorher nur für pikante Gerichte verwendet wurden, Zucker, Mehl und die Kunst des Backens sorgten für eine regelrechte Revolution der Thai-Küche.

DIE GESCHICHTE DER MARIE GUIMAR

Geboren wurde Marie im Jahr 1664 als Tochter eines portugiesischen Vaters und einer christlich-japanischen Mutter. Sie erhielt den Namen Thao Thong Kipma und erlebte Kindheit und Jugend im Königreich Siam. Als junge Frau heiratete sie den berühmten Constantine Phaulkon, ein griechischer Seefahrer, hochintelligent und mit ausgezeichneten Kontakten nach Europa. König Narai (1656–1688) vertraute ihm so sehr, dass er ihn zum engen Berater ernannte, einem *wichayen*. Die junge Frau des erfolgreichen und über alle Maßen reichen Phaulkon galt als begabte Köchin und zauberhafte Gastgeberin bei Hofe. Doch sorgte der wachsende Einfluss und vor allem Wohlstand des ausländischen Günstlings bei vielen Höflingen für Neid und Missgunst. Als der König schwer erkrankte, wurde Phaulkon verhaftet und später sogar hingerichtet. Seine Frau Marie wurde ebenfalls gefangen gesetzt. Nach vielen elenden Jahren im Gefängnis kamen ihr das Schicksal und ihre legendäre Kochbegabung zur Hilfe. Unter König Thaisa (1709–1733) wurde sie zur Küchenchefin ernannt und lehrte fürderhin die Frauen die Künste der Palastküche und die unverwechselbaren Desserts à la Guimar: *thong yip, thong yot, foi thong, med khanun, sankhaya* und *mo kaeng* gehören auch heute noch zu den beliebtesten Schleckereien.

ZEICHEN VON FREUNDSCHAFT UND LIEBE

Süßigkeiten spielen auch bei den vielen Feiern im Jahr eine wichtige Rolle: *Khao niau däng* und *kalamae* werden aufwändig aus Reismehl, Kokossauce und Zucker gemacht, und es gibt sie nur an *songkran. Khanom wan* nennen Thais die Süßigkeiten, Zeichen von Freundschaft und Liebe. Zu ihrer Herstellung kommen oft viele Nachbarn zusammen, um sie später in liebevoller Verehrung den Mönchen im nächstgelegenen Tempel zu überbringen.

GEDÄMPFTE PALMZUCKER-CUPCAKES

1

2

3

4

5

6

7

8

9

1 PITHAYA

GAEOW MANGHON

Die dekorative Frucht wird auch Drachenfrucht genannt. Das weiße oder purpurfarbene Fruchtfleisch hat winzige, schwarze Kerne, die mitgegessen werden. Ausgereift ist sie sehr erfrischend und leicht süß. Sie wird halbiert und ausgelöffelt. Sie schmeckt gut zum Frühstück oder als Dessert und passt in Stücke geschnitten zu Blattsalaten.

2 JACKFRUCHT – KANUN

Abgebildet ist eine junge Jackfrucht. Die Schale der reifen Frucht ist gelblich bis bräunlich. Das Fruchtfleisch unreifer Früchte wird zu delikaten Currys verarbeitet. Die Fruchtsegmente reifer Früchte sind süß-saftig oder knackig und gelb. Man isst sie mit süßem Kokosklebreis, mit Eis oder in Fruchtsalaten.

3 LITSCHI – LINTSCHI

Erntezeit für Litschis ist von April bis Juni und viele sind für den Export bestimmt. Die besten stammen aus Nordthailand. Reife Früchte werden immer mit den Zweigen geschnitten, damit sie länger frisch bleiben. Abgepflückte verderben schnell. Die Früchte haben eine rötliche Schale, das Fleisch ist saftig und schmeckt süß-säuerlich. Am liebsten isst man sie als Dessert mit Sirup und Kokosmilch auf zerstoßenem Eis.

4 LONGAN – LAMYAI

Longanbäume wachsen im Norden in der Region von Chiang Mai und Lamphun. Die Schale der Früchte ist glatt, bräunlich und recht fest. Wegen ihres süßen, sehr aromatischen Fruchtfleisches sind sie begehrt als Snack und für Desserts. Sie können gut getrocknet werden. Dafür geschälte Longane 5 Min. in Wasser kochen und an der Sonne trocknen lassen. Getrocknet werden sie wie ein Bonbon gelutscht oder für Früchtetees verwendet.

5 MANGO – MAMUANG

Die berühmteste Thai-Mango ist die gelbe, voll ausgereifte *nam dog mai*. Ihre Schale und das faserfreie Fleisch ist von sattem Gelb. Mangos werden auf Plantagen kultiviert und sind das ganze Jahr erhältlich. Grüne Mangos sind unreife Früchte. Sie schmecken säuerlich, herb, können aber je nach Sorte recht aromatisch sein. Gut sind sie in scharfen Salaten oder in Schnitze geschnitten in Chilisalz oder –zucker gedippt.

6 PAPAYA – MALAGO

In Thailand gibt es Papayas das ganze Jahr. Reife Früchte haben eine orangefarbene Schale und schmecken fruchtig-süß. Man isst sie mit wenig Limettensaft beträufelt. Die grüne, unreife Papaya wird für Currys und für den berühmten scharfen *som-tam*-Salat verwendet. Schweinspflaumen werden grün und vor allem eingelegt angeboten. Als Snack gibt es sie scharf-sauer oder süß-scharf auf Märkten und bei Straßenhändlern. In Gläser konserviert werden sie auch exportiert.

7 POMELO – SOMM-OH

Die Pomelo ist eine Züchtung aus Pampelmuse und Grapefruit. Die Bäume wachsen in ganz Thailand, besonders aber in der nördlichen Zentralebene. Die Schale ist sehr dick, grünlichgelb oder dunkelgrün. Das Fruchtfleisch schmeckt säuerlich-süß und erfrischend. Es wird gern zum Frühstück gegessen oder zu Salaten verarbeitet.

8 RAMBUTAN – NGO

Weltweit ist Thailand der größte Rambutanproduzent und Exporteur. Die Früchte werden hauptsächlich im Süden und in den Provinzen Chantaburi und Rayong angebaut. Am einfachsten schneidet man die Schale mit einem scharfen Messer auf. Die Frucht ist weißgelblich und süß. Roh schmecken Rambutan gut gekühlt am besten.

9 ZUCKERAPFEL – NOYNA

Der Zuckerapfel wurde vor 300 Jahren in Thailand eingeführt. Reife Früchte haben eine gelbgrüne Schale mit wabenartigem Muster. Das Fruchtfleisch ist weiß, hat eine saftig-sämige Beschaffenheit und ist sehr süß. Weitere Namen der Frucht sind Rahmapfel, Zimtapfel oder Annonafrucht. Das Fruchtfleisch von reifen Früchten wird gern zu Eiscreme oder Fruchtsaft verarbeitet oder einfach ausgelöffelt. Die Kerne nicht mitessen, sie enthalten Giftstoffe und verursachen Darmbeschwerden.

SÜSSER KLEBREIS MIT MANGO
KHAO NIAU MAMUANG

Für 6 Personen
½ kg Klebreis
Salz
1 EL weiße Sesamsamen
½ l Kokosmilch
150 g Palmzucker
2 reife gelbe Thai-Mangos

Zubereitungszeit:
50 Min.
Einweichzeit:
1 Std.
Pro Portion ca.
540 kcal

1. Den Klebreis mit 1 TL Salz in eine Schüssel geben und mit lauwarmem Wasser bedecken. Ca. 1 Std. einweichen lassen. In ein Sieb abgießen, abtropfen und so lange mit kaltem Wasser abbrausen, bis das ablaufende Wasser klar ist.

2. In einen Topf 1 ½ l Wasser gießen und den abgetropften Klebreis dazugeben. Zugedeckt bei mittlerer Hitze in ca. 30 Min. garen. Der Klebreis muss weiß und weich, darf aber keinesfalls körnig sein. Den heißen Klebreis mit einer Holzkelle ca. 2 Min. kräftig durchrühren und in eine Schüssel umfüllen.

3. Die Sesamsamen im Wok ohne Fett goldbraun rösten, in ein Schälchen füllen und auskühlen lassen.

4. Die Kokosmilch in einen Topf geben und unter ständigem Rühren bei mittlerer Hitze aufkochen. 1 TL Salz und den Zucker dazugeben und unter Rühren nochmals aufkochen. Den Topf vom Herd nehmen.

5. Die Hälfte der heißen Kokosmilch über den Klebreis gießen und mit einer Holzkelle gut vermischen. Den Klebreis auf einer Platte anrichten und mit den gerösteten Sesamsamen bestreuen. Die Mangos mit einem scharfen Messer oder Sparschäler schälen. Das Fruchtfleisch vom Kern abschneiden und in Scheiben schneiden. Auf der Platte mit dem Klebreis anrichten. Die übrige Kokosmilch in ein Kännchen umfüllen und nach Bedarf beim Essen über den Reis gießen.

TIPP
Klebreis kann mit natürlicher Speisefarbe eingefärbt werden. In Thailand verwendet man für grüne Farbe frische Pandanusblätter, für orange klein geschnittene Möhren, für gelbe Farbe fein geriebene Kurkuma und für violette Farbe die Blüten von der Schmetterlingserbse. Die jeweiligen Zutaten werden im Mixer fein gehackt, gesiebt, mit der heißen Kokosmilch zum Klebreis gegeben und gut untergerührt. Schon eine kleine Menge reicht, um dem Reis eine schöne Farbe zu verleihen.

KLEBREISBÄLLCHEN UND WACHTELEIER IN KOKOSMILCH
BUA LOY KHAI WAN

1. Das Klebreismehl in eine Schüssel geben und mit 1 TL warmem Wasser mit den Fingern verkneten, eventuell etwas mehr Wasser zugeben. Die Knetmasse muss weich und elastisch sein und darf nicht an den Fingern kleben. Mit den Fingern kleine Bällchen formen und auf einen Teller legen.

2. In einem großen Topf 1 ¼ l Wasser aufkochen, die Bällchen nach und nach hineingeben. Sobald die Bällchen nach ca. 5 Min. an der Wasseroberfläche schwimmen, mit der Schaumkelle herausheben, abtropfen lassen und auf einem Teller beiseitestellen.

3. Kokosmilch, Salz und Zucker ins Wasser geben und bei mittlerer Hitze unter ständigem Rühren aufkochen. Ca. 5 Min. weiterkochen, bis sich die Kokosmilch gut mit dem Wasser vermischt hat. Die Wachteleier einzeln in ein Schälchen aufschlagen und einzeln in die Flüssigkeit einfließen lassen. Mit der Holzkelle sehr vorsichtig am Rand und Boden des Topfes entlangrühren. Die Eier ca. 3 Min. garen. Den Topf vom Herd nehmen.

4. Die Klebreisbällchen auf Schälchen verteilen, die Wachteleier dazugeben und mit der heißen Kokosmilch auffüllen. Das Dessert warm servieren.

TIPP

Das angerührte Reismehl kann durch Zugabe von natürlicher Lebensmittelfarbe eingefärbt werden, was einen hübschen Effekt erzielt (Seite 328).

Für 4–6 Personen

200 g	Klebreismehl
600 ml	Kokosmilch
1 TL	Salz
200 g	Zucker
8	frische Wachteleier oder
4	kleine Hühnereier

Zubereitungszeit:
40 Min.
Bei 6 Portionen pro Portion ca.
445 kcal

KÜRBISSTÜCKE IN KOKOSMILCH

KÜRBISSTÜCKE IN KOKOSMILCH
FAK THONG BUAT

1. Das Kürbisfruchtfleisch in ca. 1 x 3 cm große Stücke schneiden.

2. Die Kokosmilch in einen Topf geben und bei mittlerer Hitze unter ständigem Rühren aufkochen. Salz und Zucker einstreuen und ca. 5 Min. weiterrühren, bis sich beides aufgelöst hat.

3. Die Kürbisstücke zugeben, vorsichtig umrühren und die Kokosmilch nochmals aufkochen. Sobald sie kocht, die Hitze reduzieren und die Kürbisstücke zugedeckt bei kleiner Hitze ca. 5 Min. garen. Den Topf vom Herd nehmen, das Dessert auf Schälchen verteilen und lauwarm servieren.

Für 4 Personen
300 g reifes gelbes Kürbisfruchtfleisch (z. B. Hokkaido- oder Muskatkürbis)
½ l Kokosmilch
1 TL Salz
150 g Zucker

Zubereitungszeit:
30 Min.
Pro Portion ca.
380 kcal

BANANEN MIT KOKOSMILCH
KLUAY BUAT JI

1. Das Pandanusblatt waschen und in 1 x 2 cm große Stücke schneiden. Die Bananen schälen und in je 3 Stücke schneiden.

2. Die Kokosmilch in einen Topf geben und unter ständigem Rühren bei mittlerer Hitze zum Kochen bringen. Den Zucker zugeben und weiterrühren, bis sich der Zucker aufgelöst hat. Das Salz und die Bananenstücke zugeben. Wieder aufkochen, dann die Hitze klein stellen und alles unter ständigem vorsichtigem Rühren 10–15 Min. weiterköcheln, bis die Bananen weich sind.

3. Das zerkleinerte Pandanusblatt zugeben. Den Topf zudecken, vom Herd nehmen und das Ganze ca. 1 Min. ruhen lassen. Die Pandanusblattstücke entfernen, das Dessert auf Schälchen verteilen und lauwarm servieren.

Für 4–6 Personen
1 Pandanusblatt (Seite 293)
5 reife Thai-Bananen
800 ml Kokosmilch
200 g Zucker
½ TL Salz

Zubereitungszeit:
30 Min.
Bei 6 Portionen pro Portion ca.
425 kcal

BANANEN – GELIEBT UND VEREHRT

BANANEN STAMMEN URSPRÜNGLICH AUS DER SÜDOSTASIATISCHEN INSELWELT UND SIND EINE DER ÄLTESTEN KULTURPFLANZEN DER WELT. DIE BANANENPFLANZE WURDE VERMUTLICH ÜBER MADAGASKAR NACH AFRIKA UND DANN VON DEN SPANIERN ÜBER DIE KANARISCHEN INSELN NACH MITTELAMERIKA GEBRACHT. HEUTE UMFASSEN ZUCHTBANANEN ÜBER 1000 VERSCHIEDENE KREUZUNGEN UND VARIANTEN.

In Thailand werden zwei Dutzend Varianten angepflanzt. Die bekannteste, äußerst pflegeleichte Sorte ist die im ganzen Land verbreitete *kluay nam wa* mit ihrem weißen, festen und süßen Fruchtfleisch. Eine andere Sorte hat viel Ähnlichkeit mit den bei uns handelsüblichen langen, festen Früchten und ihrem vergleichsweise milden Geschmack: *kluay hom,* die »duftende Banane« wächst langsamer als andere Sorten und wird hauptsächlich in der Zentralregion angepflanzt.

EIN FEST FÜR DIE BANANE

Der Liebling der Thais ist allerdings die kleine, bei uns als Fingerbanane bekannte *kluay khai.* Sie gedeiht vorzugsweise in heißen Klimazonen und wird vor allem in den nördlich gelegenen, weiten Ebenen von Khampeng Phet angebaut, kurz bevor sich die Berge im Norden Thailands erheben. Das Fruchtfleisch der beliebten kleinen Bananen ist hellgelb, fruchtig-süß und duftet nach Sonne. Jedes Jahr im September wird in Khampeng Phet ein Bananen-Festival ausgerichtet, wo eine ganze Reihe von Feiern zu Ehren der vielseitigen Frucht stattfindet, die den Wohlstand ihrer Bewohner sichert. Der große Tempel in der Stadtmitte wird dann mit unzähligen Bananen-rispen und wunderschönen Bananenblüten dekoriert. Die Stadtbewohner bringen reife Bananenfrüchte und aus Bananen hergestellte Süßigkeiten in den Tempel, um ihre Dankbarkeit über den Abschluss einer erfolgreichen Ernte auszudrücken und die Götter um den Segen für eine weitere gute Ernte im neuen Jahr zu bitten.

KULINARISCH VIELSEITIG UND GESUND

Die Bananenpflanze wird nicht nur wegen ihrer nahrhaften und gesun-den Früchte geschätzt, die man so vielfältig in pikanten Gerichten und in

Desserts verarbeiten kann. Wegen ihrer zahlreichen wertvollen Inhaltsstoffe, ihren Vitaminen, Mineralstoffen und Ballaststoffen, sind Bananen ein äußerst wertvolles Nahrungsmittel und dabei unvergleichlich günstig.

Ein Sprichwort besagt, dass die erste und letzte Mahlzeit im Leben eines Thai immer eine Banane ist. So wird ein Baby nach der Stillzeit mit einem Mus aus Bananen und gekochtem Reis gefüttert. Und ältere Menschen, die sich schwer tun mit fester Nahrung, essen zerdrückte Bananen. In der Küche verarbeitet man Bananen hauptsächlich zu Süßspeisen. Man bepinselt sie dazu mit Honig und grillt sie, wälzt sie in einer Panade und backt sie in heißem Öl aus, tunkt sie in einen Teig und frittiert sie, kocht kleine Stücke davon in süßer Kokosmilch oder rollt sie mit Klebreis in ein Bananenblatt und gart sie im Dämpfeinsatz oder auf dem Grill. Als kleine, nahrhafte Zwischenmahlzeit isst man Bananen auch roh oder sonnengetrocknet.

Darüber hinaus bietet die Bananenstaude noch unzählige weitere Verwendungsmöglichkeiten. So werden die dunkelgrünen Bananenblätter zum Einwickeln und Garen von Speisen verwendet. Die Bananenblüten sind ein schöner Schmuck, können aber als Knospen auch aufgeschnitten und verzehrt werden. Aus Bananenfasern werden extrem widerstandsfähige, wildseidenähnliche Stoffe gewebt und kunsthandwerkliche Gegenstände gefertigt.

BANANEN FÜR WACHSTUM UND WOHLSTAND

In jedem Thai-Haushalt, der über einen noch so winzigen Garten verfügt, wachsen mindestens ein oder zwei Bananenstauden. Eine alte Weisheit besagt, dass Bananen Wohlstand bringen – ein im Buddhismus durchaus erstrebenswertes Lebensziel, um seine Familie gut zu versorgen und auch um teilen zu können. Traditionell werden deshalb auch beim Bau eines Hauses schon bei der Grundsteinlegung ein Bananenstrunk und eine Zuckerrohrpflanze mit einem bunten Tuch an einen der Pfeiler gebunden. Dabei steht die Banane für den immerwährenden Wachstum des Hausstandes, und die Süße des Zuckerrohrs für das Glück der Bewohner. Mönche in ihren safrangelben Gewändern segnen anschließend in einer feierlichen Zeremonie das Grundstück und den Neubau. Danach pflanzt man beide Pflanzen nahe beim neuen Heim ein und freut sich auf ein schönes Leben.

SÜSSE FINGERBANANEN
KLUAY TSCHÜAM

1. In einer Glasschüssel 1 l Wasser mit 1 TL Salz vermischen. Die Bananen schälen und ca. 5 Min. in das Salzwasser legen.

2. Inzwischen in einem Topf 100 ml Wasser aufkochen. Den Zucker dazugeben, die Hitze reduzieren und das Ganze unter Rühren 2–3 Min. köcheln, bis sich der Zucker vollständig aufgelöst hat.

3. Die Bananen mit der Schaumkelle aus dem Salzwasser heben und in das Zuckerwasser geben. Bei kleiner Hitze ca. 15 Min. köcheln lassen, dabei einmal vorsichtig umrühren. Die Farbe der Fingerbananen bleibt Goldgelb. Falls eine andere Bananensorte verwendet wird, ändert sich die Farbe in Hellbraun.

4. Die Kokosmilch mit ½ TL Salz in einem Topf aufkochen und bei kleiner Hitze unter ständigem Rühren ca. 10 Min. köcheln lassen. Zum Servieren die Bananen mit dem Zuckerwasser auf kleine Schälchen verteilen und die warme Kokosmilch darübergießen. Das Dessert lauwarm servieren.

Für 4 Personen
Salz
8 reife feste Fingerbananen (Babybananen)
150 g Zucker
200 ml Kokosmilch

Zubereitungszeit:
35 Min.
Pro Portion ca.
465 kcal

SÜSSE KLEBREISPÄCKCHEN MIT BANANEN

KHAO THOM MAD

1. Den Klebreis mit 25 g Salz in kaltem Wasser ca. 2 Std. einweichen. Die Kokosmilch mit dem Zucker und 1 Prise Salz in einem großen Topf unter Rühren aufkochen und ca. 3 Min. unter Rühren kochen lassen, dann die Hitze reduzieren.

2. Den Klebreis in ein Sieb schütten, gut abtropfen lassen und in die heiße Kokosmilch geben. Bei kleiner Hitze unter ständigem Rühren ca. 20 Min. weiterköcheln, bis der Reis durchsichtig aussieht und nicht mehr an der Kelle klebt. Den Topf vom Herd nehmen und beiseitestellen.

3. Die Bananenblätter waschen und abtrocknen. Die Blätter mit einem scharfen Messer oder einer Schere entlang der Mittelrippe abschneiden. Aus den Blättern 20 Vierecke (15 x 15 cm groß) schneiden. Die Bananen schälen und auf einen Teller legen.

4. Für jedes Päckchen 2 Bananenblätter so aufeinanderlegen, dass jeweils die glänzende Seite außen ist. Die äußere Blattkante muss außerdem einmal links und einmal rechts liegen, da die Päckchen sonst reißen.

5. Je ca. 50 g Klebreis in die Mitte jedes doppelt gelegten Bananenblattes geben. Etwas flach drücken und je 1 Banane darauflegen. Zuerst die linke Seite des Blattes über dem Klebreis einschlagen, dann die rechte Seite. Anschließend die untere Seite nach oben schlagen, das Päckchen in die Hand nehmen und am äußeren oberen Ende zur Mitte hin eine Falte legen und dann einschlagen. Auf der anderen Seite nochmals öffnen und ebenfalls zur Mitte hin eine Falte legen und wieder einschlagen. So hat der Klebreis genügend Platz, um aufzugehen, außerdem wird er schön luftig. Alle Päckchen auf diese Weise formen. Mit Bast oder Küchengarn verschnüren.

6. Die Päckchen auf den Rost des Dampfgarers oder in den Bambuskorb legen und das Wasser im Dampfgarer aufkochen. Die Päckchen zugedeckt ca. 1 Std. dämpfen. Zwischendurch nachsehen, ob Wasser nachgefüllt werden muss. Nach 1 Std. ein Päckchen herausnehmen und prüfen, ob es fertig ist: Der Klebreis muss gut zusammenkleben und durchsichtig sein; die Bananen müssen sich rot verfärbt haben. Die Klebreispäckchen lauwarm oder abgekühlt essen.

Für 10 Personen
500 g Klebreis
Salz
½ l Kokosmilch
200 g weißer Zucker
10 kleine Thai-Bananen
Außerdem:
5 ganze, längs halbierte Bananenblätter
10 Bastfäden oder Küchengarn (je ca. 30 cm lang)
großer Dampfgarer oder Bambuskorb

Zubereitungszeit:
1 Std.
Einweichzeit:
2 Std.
Garzeit:
1 Std.
Pro Portion ca.
430 kcal

Für 8 Personen
Für die Kerne:
500 g Wasserkastanien (Dose)
¼ l Granatapfelsirup
500 g Tapiokamehl
Für den Sirup:
500 g Zucker
½ TL Salz
Außerdem:
zerstoßenes Eis

Zubereitungszeit:
50 Min.
Pro Portion ca.
629 kcal

FALSCHE GRANATAPFELKERNE
TABTIM GROB

1. Für die Kerne die Wasserkastanien abtropfen und in ca. 5 mm große Würfel schneiden. Den Granatapfelsirup mit 3 EL Wasser in einer Schüssel vermischen und die gewürfelten Wasserkastanien darin ca. 15 Min. einweichen. Das Tapiokamehl in eine Glasschüssel geben, die Wasserkastanien aus dem Sirup heben, gut abtropfen lassen und zum Tapiokamehl geben. Mit den Händen vermischen, sodass das Mehl gut an den Würfeln haftet.

2. In einem Topf 2 l Wasser aufkochen, die Wasserkastanienwürfel aus dem Tapiokamehl heben, dabei überschüssiges Mehl abschütteln. Die Wasserkastanienwürfel ins sprudelnd kochende Wasser geben und ca. 5 Min. köcheln, bis sie oben schwimmen. Mit einer Schaumkelle herausnehmen, abtropfen lassen und in einer Schüssel mit kaltem Wasser ca. 1 Min. abschrecken und abkühlen lassen. Herausheben und in einem Sieb abtropfen lassen.

3. Für den Sirup den Zucker und das Salz mit ¼ l Wasser in einen Topf geben. Das Wasser aufkochen und die Zutaten in 15–20 Min. unter ständigem Rühren zu einem dicklichen Sirup einkochen lassen.

4. Dessertschälchen bis zur Hälfte mit zerstoßenem Eis füllen. Die Kerne darauf verteilen und mit dem Sirup übergießen. Sofort servieren.

TIPP
Anstelle von Granatapfelsirup, der die rote Farbe bringt, kann auch ein anderer Sirup für eine andere Färbung und ein anderes Aroma genommen werden, z. B. grüner Apfel, Pfefferminze oder Mango.

Für 4 Personen
400 g festkochende Früchte
(je 100 g, z. B. Ananas, Rambutan, Litschi, Birnen, Nektarinen, Longane, Honigmelone)
300 g Zucker
1 TL Salz
zerstoßenes Eis

Zubereitungszeit:
20 Min.
Pro Portion ca.
360 kcal

FRUCHTSTÜCKE AUF SÜSSEM EISWASSER
PON LA MAAI LOY GAEOW

1. Alle Früchte waschen, bzw. schälen und in ca. 1 cm lange Stifte schneiden. Kleinere Früchte nur halbieren. Den Zucker und das Salz mit ½ l Wasser in einen Topf geben und unter ständigem Rühren zum Kochen bringen.

2. Die Hitze reduzieren, alle Früchte vorsichtig hineingeben und bei sehr kleiner Hitze ca. 10 Min. köcheln lassen. Topf vom Herd nehmen und die Früchte auskühlen lassen.

3. Dessertschälchen bis zur Hälfte mit zerstoßenem Eis füllen. Das Zuckerwasser und die Früchte daraufgeben und das Dessert sofort servieren.

FALSCHE GRANATAPFELKERNE

SÜSSER PUDDING IM KÜRBIS
FAK THONG SANGKAYA

1. Den Kürbis waschen und abtrocknen. Am Stielende mit einem scharfen Messer ein Viereck von ca. 10 x 10 cm ausschneiden. Mitsamt dem Stiel herausheben und beiseitelegen. Die Kerne und das faserige Fruchtfleisch aus dem Kürbis herauschaben. Kürbis mindestens 1 Std. zum Austrocknen in den Kühlschrank stellen.

2. Inzwischen in einer Schüssel den Palmzucker, die Eier, das Salz und die Kokosmilch mit dem Schneebesen gut vermischen. Die Pandanusblätter waschen und abtrocknen. Mit den Händen etwas zusammendrücken, zu einem Knoten binden und in die Eiermasse geben. Blätter und Eiermasse mit den Händen gut vermischen und zusammendrücken, bis der Zucker sich aufgelöst hat. Die Masse durch ein Sieb in eine Schüssel gießen und mit dem Schneebesen ca. 5 Min. kräftig schlagen.

3. Den Kürbis aus dem Kühlschrank holen und die Masse einfüllen. Den Kürbis in eine große hitzebeständige Glasschüssel stellen und den Deckel halb auflegen.

4. Die Schüssel mit dem Kürbis in den Dampfgarer stellen. Das Wasser im Dampfgarer aufkochen und den Kürbis bei kleiner bis mittlerer Hitze zugedeckt mindestens 1 Std. dämpfen.

5. Nach ca. 1 Std. den Deckel vom Kürbis kurz abheben und mit einem dünnen Holzstäbchen prüfen, ob die Eiermasse gestockt ist und das Kürbisfleisch gar ist. Wennn nicht, ca. 30 Min. weitergaren. Den Dampfgarer vom Herd nehmen, die heiße Glasschüssel herausheben und den Kürbis in der Schüssel ca. 1 Std. abkühlen lassen.

6. Zum Servieren den Kürbis vorsichtig herausheben und auf einen großen Teller setzen. Das Dessert kann im Kühlschrank über Nacht aufbewahrt werden, muss aber vor dem Servieren mindestens 1 Stunde bei Zimmertemperatur stehen. Den Kürbis mit einem scharfen Messer in Schnitze schneiden und auf Tellern anrichten. Den Pudding mit dem Löffel essen.

TIPP
Wenn Sie keine Pandanusblätter im Asienladen bekommen, können Sie stattdessen 2 Tropfen Pandanus-Essenz verwenden.

Für 4–6 Personen
1 Kürbis mit Stiel (ca. 1 kg, z. B. Hokkaido)
200 g Palmzucker
6 Eier
½ EL Salz
¼ l Kokosmilch
5 Pandanusblätter (Seite 293)
Außerdem:
großer Dampfgarer oder Bambuskorb

Zubereitungszeit:
30 Min.
Kühlzeit:
1 Std.
Garzeit:
1 ½ Std.
Bei 6 Portionen pro Portion ca.
335 kcal

KÖNIG DURIAN

APHRODISIERENDE KRÄFTE WERDEN DEN FRÜCHTEN DES DURIO- ODER ZIBETBAUMES NACHGESAGT, DIE AUF DEN ERSTEN BLICK ALLERDINGS NUR PLUMP UND STACHELIG WIRKEN. IN SÜDOSTASIEN GILT SIE VIELEN MENSCHEN JEDOCH ALS EINE DER GRÖSSTEN DELIKATESSEN.

Indes: Viele Hotels in Thailand bitten ihre Gäste höflich, auf das Mitbringen der beliebten Frucht zu verzichten. Das Gleiche gilt in Flugzeugen, Bussen und Taxis, in Schulen, Krankenhäusern und Kinos. Der Grund: Eine frische Durian stinkt einfach höllisch, was ihr bei Europäern auch den wenig attraktiven Beinamen »Stinkfrucht« eingebracht hat. Ein englischer Gentleman, der im 18. Jahrhundert das Königreich Siam bereiste, notierte in seinem Reisetagebuch dazu: »Es ist, als ob man Hering und Blauschimmelkäse über einem offenen Abwasserkanal essen würde.« Nun, der Schein trügt.

Echte Liebhaber beteuern, dass die Durian am besten mundet, wenn sie nach der Ernte noch ein paar Tage nachreifen kann und sich ihr Duft weiter intensiviert. Dies allerdings in weiter Entfernung von anderen Früchten und Speisen, am besten im Garten. Befreit man dann die zwischen zwei bis zehn Kilogramm schwere Durian-Frucht von ihrer Schale, kommt man ihrem Geheimnis endlich nahe. Es enthüllt sich ein gelblich weißes, wunderbar duftendes Fruchtfleisch, das im Inneren eine feste bis leicht cremige Konsistenz aufweist. In Thailand isst man Durians keineswegs nur roh. Beliebte Desserts sind Durians mit süßer Kokosmilch und Klebreis oder nur mit Kokosmilch. Knusprige Durian-Chips schmecken gut zu einem Glas spritzigem Weißwein oder als Snack zwischendurch.

WERTVOLLE INHALTSSTOFFE
Seit Jahrhunderten gedeiht diese Frucht in den tropischen Wäldern Südostasiens. In Malaysia berichtet man über den Volksstamm der Jakun, dass sich die Menschen während der Erntezeit zwei Monate lang ausschließlich von Durian-Früchten ernähren. Heute weiß man, dass die Durian eine Fülle wertvoller Nährstoffe beinhaltet, die in dieser Kombination in keiner anderen Frucht vorkommt. In ihr stecken pflanzliches Eiweiß, Zucker, Ballaststoffe, herzschützende essenzielle Fettsäuren, zellschützende Antioxidanzien, Vitamine, Mineralien und einzigartige organische Schwefelverbindungen.

BEGEHRT UND TEUER

In Thailand werden die geschmacklich feinsten Durians geerntet, die bekanntesten Sorten sind *cha-cee, gahn-yao* und *mon-thong.* »Der König der Früchte« gehört hier zu den begehrtesten und teuersten auf den Märkten. Die besten Sorten erzielen unglaubliche Preise und werden auf sogenannten Durian-Auktionen erzielt. Die größten Anbauregionen befinden sich im Südosten in Rayong, Trat, Prachinburi und Chantaburi und im Süden in Surat Thani und Chumphon.

DER ZAUBER DER KÖNIGLICHEN FRUCHT

Der Legende nach ist die Durian-Frucht zudem ein unschätzbares Hilfsmittel zum Anbahnen von Liebesbeziehungen: In der Legende sehnte sich einst ein König nach der Liebe einer schönen Frau. Er bat einen weisen, alten Einsiedler um Rat, und dieser schenkte dem Unglücklichen eine zauberhafte Frucht. Sie sollte ihm helfen, die Liebe der Angebeteten zu gewinnen. Die Frucht war ein Geschenk des Himmels, schön, fein und wohlschmeckend. Nach dem ersten Bissen fühlte der König bereits, wie seine Liebeskraft noch stärker wurde. So gab er ein großes Fest, auf dem er seiner Schönen ein Stück dieser Frucht in den Mund steckte, woraufhin sie in Liebe zum König entbrannte.

In Folge der weiteren Geschehnisse vergaß es der Liebende völlig, sich bei dem Einsiedler für das wunderbare Geschenk zu bedanken. Daraufhin wurde dieser sehr ärgerlich und verfluchte den Baum, der die Liebesfrüchte trug. Als der König eines Tages in seinen Garten ging, um neue Früchte zu holen, war er überaus erstaunt, diese groß, hässlich und stachelig vorzufinden. Zudem stanken sie furchtbar, sodass er eine davon voll Abscheu auf den Boden warf. Daraufhin brach diese auseinander und offenbarte ihr wunderbar wohlriechendes Inneres. Da lachte der König und nannte die Frucht nach ihren Dornen »Duri«. Und bis heute werden nur die, die schlau genug sind, hinter die hässliche Schale zu blicken, vom Zauber der königlichen Frucht beglückt.

TYPISCHE MENÜVORSCHLÄGE

MITTAGS

Das Mittagessen geht in Thailand schnell und wird meist in Garküchen und kleinen Restaurants eingenommen. Hier muss man sich nur entscheiden, welche Art von Gericht man essen möchte: Nudeln oder eine Spezialität aus dem Isan oder ein klassisches Curry.

MITTAGESSEN ZU HAUSE
FÜR 2–4 PERSONEN

Wenn mittags zu Hause gekocht wird, sind es meist einfache, schnelle Gerichte. Als Dessert gibt es frische Früchte.

- 89 Pikanter Salat mit grünem Spargel
- 149 Gebratener Reis mit Knoblauch
- 234 Gebratenes Schweinefleisch mit Ananas

- 139 Kokossuppe mit Pilzen
- 219 Hähnchenbrustfilet mit Chili und Basilikum, evtl. mit einem Spiegelei
- 339 Süße Fingerbananen

- 112 Suppe mit frischem Tofu und Spinat
- 160 Gebratene Reisnudeln mit Sojasauce
- 309 Wasserspinat mit Chili und Knoblauch

- 297 Vielerlei Gemüse mit Kokosdip
- 32 und Omelett
- 255 Fisch im Salz gebacken mit scharfer Sauce

- 188 Curry mit Huhn aus Nordost-Thailand
- 145 Papayasalat mit gerösteten Erdnüssen
- 75 Klebreis

- 271 Garnelen mit Thai-Bohnen
- 206 Rotes Curry mit Rindfleisch

- 186 Oranges Curry mit Gemüse und Fisch
- 311 Junger Kürbis in Kokossauce

- 80 Scharfer Tintenfischsalat
- 156 Gebratener Reis mit Garnelen
- 309 Gemischtes gebratenes Gemüse

- 40 Hühnerschenkel aus dem Ofen
- 168 Gebratene Reisnudeln mit Sojasuace
- 310 Kurz gebratene gemischte Früchte und Gemüse

SNACKS FÜR ZWISCHENDURCH

Die leckeren Kleinigkeiten kauft man gerne auf dem Markt oder bei einer der vielen Garküchen auf der Straße.

- 24 Grüne Mango mit süßem Chili-Dip
- 59 Fingerbananen vom Grill
- 341 Süße Klebreispäckchen mit Bananen
- 38 Vegetarische Frühlingsrollen
- 40 Gebratene Hühnerschenkel mit Sesamsamen
- 27 Geröstete Cashewnüsse mit Chili und Frühlingszwiebeln

ABENDS

Das Abendessen ist die wichtigste Mahlzeit in Thailand, denn jetzt sitzt die Familie zusammen. Auch Gäste werden abends eingeladen. Hier folgen Vorschläge für Essen in kleiner und großer Runde.

ABENDESSEN FÜR 4 PERSONEN

Gern werden möglichst unterschiedliche Gerichte kombiniert: z.B. Suppe, Curry, ein Wokgericht und evtl. ein Dessert.

- 118 Suppe mit gefüllten Ananasringen
- 206 Rotes Curry mit Rindfleisch
- 225 Huhn mit Ingwer
- 339 Süße Fingerbananen

- 122 Suppe mit gefüllten Teigtaschen
- 220 Gebratene Hähnchenbrust mit Knoblauch
- 309 Gemischtes gebratenes Gemüse

- 181 Massaman-Curry
- 271 Garnelen mit Bambussprossen
- 333 Kürbisstücke in Kokosmilch

- 36 Garnelen-Tempura
- 149 Gebratener Reis mit Ananas
- 242 Rindfleisch mit Austernsauce

- 118 Suppe mit gefüllten Gurkenstücken
- 203 Rotes Curry mit Hühnerfleisch
- 244 Schweinefleisch mit Paprikagemüse

- 112 Suppe mit frischem Tofu und Spinat
- 147 Gebratener Reis mit Garnelenpaste Frische Früchte

- 115 Suppe mit frischen Pilzen
- 42 Satay-Spießchen mit Erdnusssauce
- 342 Falsche Granatapfelkerne

ABENDESSEN FÜR 4–6 PERSONEN

Für bis zu 6 Personen sollte es vier oder mehr möglichst unterschiedliche Gerichte geben. Schön, wenn man einige gut vorbereiten kann.

- 34 Gefüllte Teigtaschen
- 84 Pikanter lauwarmer Hühnerfleischsalat
- 297 Vielerlei Gemüse mit Kokosdip
- 333 Bananen mit Kokosmilch

- 136 Kokossuppe mit Hähnchenbrustfilet
- 90 Pikanter Salat mit Schlangen-Auberginen
- 272 Venusmuscheln mit Currypaste und Thai-Basilikum
  Frische Früchte

- 75 Pikanter Fruchtsalat mit Wachteleiern
- 205 Rotes Curry mit gegrillter Entenbrust
- 278 Süßwasserfisch mit chinesischem Schnittsellerie
- 151 Gebratener Reis mit indischem Currypulver
- 342 Fruchtstücke auf süßem Eiswasser

- 38 Vegetarische Frühlingsrollen
- 89 Pikanter Salat mit Zitronengras
- 130 Suppe mit Kartoffeln und Tomaten
- 259 Gefüllte Tintenfische
- 333 Bananen mit Kokosmilch

- 95 Pikanter Salat aus grünen Mangos
- 125 Suppe mit gefüllten Tintenfischen
- 205 Rotes Curry mit Fisch
- 223 Hähnchenbrust mit Cashewnüssen

- 305 Päckchen aus Betelpfefferblättern
- 73 Pikanter Salat mit Salzeiern
- 110 Pikante Suppe mit Hühnerfleisch (Variante)

- 229 Schweinebauch mit eingelegtem Pak Choi
- 272 Venusmuscheln mit Currypaste und Thai-Basilikum
- 339 Süße Fingerbananen

- 103 Pikanter Glasnudelsalat mit Tintenfisch
- 230 Geschmortes Schweinefleisch mit Paloh-Gewürzmischung
- 271 Garnelen mit Bambussprossen
- 328 Süßer Klebreis mit Mango

- 84 Pikanter lauwarmer Hühnerfleischsalat
- 276 Fischauflauf im Bananenblattkörbchen
- 316 Gemüsecurry aus Nordost-Thailand
- 333 Bananen mit Kokosmilch

ABENDESSEN FÜR 10 PERSONEN

Für ein Fest wird aufwendig gekocht, es gibt meist einen Snack zum Aperitif und danach 6 bis 8 Gerichte, die im Hinblick auf Zutaten und Zubereitung sehr unterschiedlich sind.

- 27 Geröstete Cashewnüsse mit Chili und Frühlingszwiebeln
- 29 Chili-Dip mit gerösteten Paprikaschoten mit rohem und blanchiertem Gemüse
- 118 Suppe mit gefüllten Ananasringen
- 178 Grünes Curry mit Hühnerbrust (Variante)
- 260 Tintenfisch im Limettensud
- 242 Rindfleisch mit Austernsauce
- 345 Süßer Pudding im Kürbis

- 34 Gefüllte Teigtaschen
- 80 Scharfer Tintenfischsalat
- 139 Kokossuppe mit Pilzen
- 151 Gebratener Reis mit indischem Currypulver
- 216 Freilandhuhn mit Thai-Kräutern
- 206 Scharfes Curry mit Rindfleisch und Auberginen

- 309 Wasserspinat mit Chili und Knoblauch
- 342 Falsche Granatapfelkerne

- 32 Omelett mit Dornengrasgemüse
- 40 Hühnerschenkel aus dem Ofen
- 100 Scharfer Salat mit feinen Nudeln
- 118 Suppe mit gefüllten Gurkenstücken
- 196 Scharfes Fischcurry
- 271 Garnelen mit Thai-Bohnen
- 331 Klebreisbällchen und Wachteleier in Kokosmilch

- 89 Pikanter Salat mit grünem Spargel
- 119 Suppe mit gefüllten Rambutan
- 223 Hähnchenbrust mit Cashewnüssen
- 269 Krebse mit indischem Currypulver
- 302 Sojasprossen mit Tofu
- 342 Fruchtstücke auf süßem Eiswasser

- 27 Gebratene Fleischstreifen
- 75 Papayasalat mit gerösteten Erdnüssen
- 151 Gebratener Reis mit Eiern
- 267 Frittierte Riesengarnelen mit Knusper-Knoblauch
- 186 Oranges Curry mit Gemüse und Fisch
- 313 Schlangen-Auberginen mit Schweinehackfleisch
- 328 Süßer Klebreis mit Mango

GRILLPARTY FÜR 4–10 PERSONEN

Die Thailänder grillen leidenschaftlich gerne. Hier einige Zusammenstellungen, die Sie und Ihre Gäste begeistern werden.

- 75 Pikanter Fruchtsalat mit Wachteleiern
- 153 Gebratener Reis mit Gemüse
- 48–56 Fleisch, Fisch und Meeresfrüchte nach Wahl
- 59 Klebreisbratlinge und kleine Fingerbananen
  Frisches Obst

- 24 Grüne Mango mit süßem Chili-Dip
- 40 Gebratene Hühnerschenkel mit Sesamsamen (kalt)
- 168 Gebratene Glasnudeln mit Eiern
- 56 Grillspieße mit Ananas und Gemüse
- 48 Garnelenspieße vom Grill
- 345 Süßer Pudding im Kürbis

REZEPT- UND SACHREGISTER

PHASSAPORN MANKONGTHANACHOCK

PRISCA RÜEGG

Als Michael Wissing vor vier Jahren mit der Idee auf uns zukam, ein Buch über Toy und ihre Kochkunst zu produzieren, waren Toy und ich zuerst einmal überrascht. Mein Mann war von dem Vorhaben sofort begeistert und hat uns motiviert, die Idee in die Tat umzusetzen. Aus dem anfänglich geplanten Thai-Suppenbuch ist nun ein umfangreiches Buch über Thailand entstanden, nicht nur mit Rezepten, sondern mit vielen wunderschönen Bildern und Geschichten über Land und Leute. Es zeigt, wie überaus vielfältig und kreativ die Thai-Küche ist. Die stimmigen Bilder sollen zum Träumen anregen, die Rezepte sind zum Ausprobieren, Nachkochen und als Inspiration gedacht.

Wir sind glücklich, dass wir die Möglichkeit bekommen haben, dieses Buch zu machen und danken allen, die mitgeholfen haben.

Unser Dank gilt vor allem den vielen ungenannten Helfern im Baan Saen Yindee Ressort und den Mitarbeiterinnen und Mitarbeitern im Fotostudio Wissing und im Gräfe und Unzer Verlag.

Prisca Rüegg

DIE AUTORIN

Prisca Rüegg wuchs in Kriens bei Luzern auf. Nach einer kaufmännischen Ausbildung arbeitete sie mehrere Jahre in Zürich und Luzern, unterbrochen durch Sprachaufenthalte in den USA und Frankreich. Während eines Ferienaufenthaltes sammelte sie erste Eindrücke von Thailand und war sofort begeistert von dem Land, den Menschen und der unvergleichlichen Küche. Nach weiteren Besuchen reifte die Idee, nach Thailand auszuwandern. Nach dem Bau eines Hauses erfolgte im Dezember 2000 die Eröffnung des wunderschönen Ferienressorts. Seitdem lebt Prisca Rüegg mit ihrem Mann in der Nähe von Pattaya. Sie leitet das *Baan Saen Yindee Ressort*. Ihre Leidenschaft ist der große Palmengarten und die Ausstattung der Ferienhäuser mit ausgesuchtem Kunsthandwerk und Antiquitäten. Sie liebt es, auf thailändischen Märkten zu stöbern und immer wieder neue Produkte zu entdecken, die dann zusammen mit Toy in der Küche verarbeitet werden. So hat sie sich zur profunden Kennerin der Thai-Küche entwickelt.

Phassaporn Mankongthanachock (genannt Toy)

Toy verbrachte ihre Kindheit in Don Chedi in der Provinz Suphanburi. Schon früh lernte sie von ihrer Mutter die Grundlagen der traditionellen Thai-Küche, vor allem die Verwendung von Kräutern und Gewürzen. Mit 19 Jahren ging sie zu Verwandten in den Nordosten. Dort kochte sie einige Jahre in einem erfolgreichen Restaurant in Khon Khen und lernte die Küche des Isan kennen. Nach ihrer Rückkehr in die Zentralebene arbeitete sie als Köchin in einem Hotel in Nakhon Sawan. In dieser Zeit machte sie eine Ausbildung als Therapeutin für traditionelle Thai-Massage. Anschließend war sie zwei Jahre als Köchin in Patthaya tätig. Danach zog es sie nach Pukhet, wo sie in einem Restaurant und auf einer Segelyacht kochte. Seit März 2002 arbeitet Toy im *Baan Saen Yindee Ressort* als »Guest Relation Manager« und Köchin. Zu ihren Lieblingsbeschäftigungen gehören Ausflüge in die Natur und auf Märkte.

DER FOTOGRAF

Michael Wissing
Der Fotodesigner (BFF), Fotograf und ausgebildete Schriftsetzer arbeitet nach Stationen bei renommierten Fotografen seit 1983 selbstständig als Stilllife-Fotograf. 1997 wurde er in die »Deutsche Gesellschaft für Fotografie« berufen. In seinem Studio im Schwarzwald entstehen anspruchsvolle Fotostrecken für bekannte internationale Magazine, Agenturen, Firmen und Verlage. Er fotografierte bereits zahlreiche Bücher, insbesondere Kochbücher, und erhielt viele internationale Preise und Auszeichnungen. Unter anderem Nationale und Internationale Kalender Awards, ADC Auszeichnung Deutschland, Schweiz, USA, Japan für verschiedene Kampagnen und mehrere Buchpreise im Stilllife-Bereich. Die Fotos für dieses Buch sind ein Ausdruck seiner Liebe zu Thailand. Sie entstanden auf seinen Reisen der letzten drei Jahre. Die Gerichte für die Rezeptfotos wurden von Toy gekocht und von Michael Wissing am »Originalschauplatz« fotografiert. www.michael-wissing.de

Konzept und Projektleitung:
Birgit Rademacker
Texte: Anna Cavelius
Lektorat: Katharina Lisson
Korrektorat: Mischa Gallé
Fotografie: Michael Wissing BFF
Post Produktion: Joss Andres
Fotoassistenz: Joss Andres, Lukas Müller
Umschlaggestaltung und Innenlayout:
Sanna Andrée-Müller, Freiburg
Herstellung: Petra Roth
Satz: Liebl Satz+Grafik, Emmering
Reproduktion: Longo AG, Bozen
Druck: Firmengruppe APPL, aprinta druck, Wemding
Bindung: Conzella, Pfarrkirchen
Syndication: www.jalag-syndication.de

ISBN 978-3-8338-2203-2

1. Auflage 2011

Unsere Garantie

Alle Informationen in diesem Ratgeber sind sorgfältig und gewissenhaft geprüft. Sollte dennoch einmal ein Fehler enthalten sein, schicken Sie uns das Buch mit dem entsprechenden Hinweis an unseren Leserservice zurück. Wir tauschen Ihnen den GU-Ratgeber gegen einen anderen zum gleichen oder ähnlichen Thema um.

Liebe Leserin und lieber Leser,

wir freuen uns, dass Sie sich für ein GU-Buch entschieden haben. Mit Ihrem Kauf setzen Sie auf die Qualität, Kompetenz und Aktualität unserer Ratgeber. Dafür sagen wir Danke! Wir wollen als führender Ratgeberverlag noch besser werden. Daher ist uns Ihre Meinung wichtig. Bitte senden Sie uns Ihre Anregungen, Ihre Kritik oder Ihr Lob zu unseren Büchern. Haben Sie Fragen oder benötigen Sie weiteren Rat zum Thema? Wir freuen uns auf Ihre Nachricht!

Wir sind für Sie da!
Montag–Donnerstag: 8.00–18.00 Uhr;
Freitag: 8.00–16.00 Uhr   *(0,14 €/Min. aus dem dt. Festnetz/
Tel.: 0180-5005054*   Mobilfunkpreise
Fax: 0180-5012054*   maximal 0,42 €/Min.)
E-Mail:
leserservice@graefe-und-unzer.de

P.S.: Wollen Sie noch mehr Aktuelles von GU wissen, dann abonnieren Sie doch unseren kostenlosen GU-Online-Newsletter und/oder unsere kostenlosen Kundenmagazine.

GRÄFE UND UNZER VERLAG
Leserservice
Postfach 86 03 13
81630 München

Umwelthinweis: Dieses Buch ist auf PEFC-zertifiziertem Papier aus nachhaltiger Waldwirtschaft gedruckt.

GRÄFE
UND
UNZER

Ein Unternehmen der
GANSKE VERLAGSGRUPPE